Alla Svirinskaya

AURA ENERGIE

BESCHERM EN VERSTERK JE ENERGETISCHE IDENTITEIT

AnkhHermes

Oorspronkelijke titel: *Own Your Energy, Develop Immunity to Toxic Energy and preserve Your Authentic Life Force*, uitgegeven door Hay House UK, Londen, Verenigd Koninkrijk

Vertaling Ananto Dirksen
Omslag Villa Grafica
Binnenwerk Stampwerk
Auteursfoto © Sergej Kozacenko
NUR 728

De informatie die in dit boek wordt gegeven is niet bedoeld als vervanging van professioneel medisch advies. Raadpleeg altijd een arts als er zich problemen voordoen met uw gezondheid. Noch de auteur, noch de uitgever kan verantwoordelijk worden gehouden voor enige schade die het gevolg is van het opvolgen van de aanbevelingen uit dit boek of van het niet inroepen of niet opvolgen van deskundig medisch advies.

ISBN 9789020217315
ISBN e-book 9789020217322

Uitgeverij AnkhHermes vindt het belangrijk om op milieuvriendelijke en verantwoorde wijze met natuurlijke bronnen om te gaan. Bij de productie van het papieren boek van deze titel is daarom gebruikgemaakt van papier waarvan het zeker is dat de productie niet tot bosvernietiging heeft geleid.

www.ankh-hermes.nl

Opgedragen aan het universum, met dankbaarheid,
bewustzijn en waardering

Inhoud

PROLOOG

Een blik in het verleden – verborgen risico's voor onze gezondheid

Zou je als je last van diarree hebt water uit het riool drinken? Zou je een vriendin kussen die met griep in bed ligt? Zou je onbeschermd vrijen met iemand die een soa heeft? Als je zulke dingen doet, neem je idiote risico's en loop je groot gevaar. Onze voorouders stonden hier echter helemaal niet bij stil.

In het begin van het tijdperk van de verlichting – de tweede helft van de achttiende eeuw – werd lichamelijke reinheid beschouwd als heidens, want in de Bijbel staat: 'Hij die in Christus gewassen is, hoeft nooit meer gewassen te worden'.[1] Sommige religieuze leiders interpreteerden de Heilige Schrift letterlijk. Ze verkondigden dat in bad gaan de verbinding met het goddelijke wegwaste, en ze zagen baden daarom als onchristelijk.

Geen wonder dus dat de meeste mensen zich nooit wasten en als gevolg daarvan last kregen van huidaandoeningen. Daar bestonden wel geneesmiddelen voor, maar daarmee herstelden de mensen niet definitief van hun kwalen, omdat ze zich eenvoudig niet bewust waren van het verband tussen het gebrek aan hygiëne en huidinfecties. Samen met allerlei andere risicovolle praktijken zorgde dit ervoor dat mensen in die tijd – of beter: gedurende een groot deel van onze geschiedenis eigenlijk – gevangenzaten in een vicieuze cirkel: ze liepen infectieziekten op, ze gebruikten geneesmiddelen, ze saboteerden de aanpak, en ze kregen opnieuw last van de aandoening.

Gijzelaars van het onzichtbare

Vandaag de dag verbazen wij ons over een dergelijke onwetendheid. Wij menen dat we veel hygiënischer en daardoor veiliger leven. We gaan iedere dag onder de douche, we wassen onze handen na toiletgebruik, we weten hoe we onszelf tegen soa's moeten beschermen, patienten met besmettelijke ziekten worden in quarantaine gehouden, en persoonlijke hygiëne staat bij ons hoog in het vaandel. We zijn ons tegenwoordig vaak zo bewust van onze hygiëne dat we zelfs antibacteriele sprays en doekjes bij ons hebben, zodat we elke bacterie die we tegenkomen onschadelijk kunnen maken nog voor die ons schade kan toebrengen.

Stel je eens voor hoe onze voorouders zouden reageren als ze ons zo bezig konden zien. Ze zouden waarschijnlijk stomverbaasd staan te kijken, of ons zelfs uitlachen. Nog niet zo lang geleden was namelijk niemand zich bewust van het bestaan van bacteriën. Dit doet me denken aan een citaat: 'Wie dansend wordt gezien, wordt door wie de muziek niet kan horen als waanzinnig beschouwd'.

Misschien denk je dat de leefomgeving van onze voorouders, waarin bacteriën en virussen vrij hun gang konden gaan, in niets lijkt op de smetteloos schone wereld waarin wij westerlingen tegenwoordig leven. Anders dan wij stonden onze voorouders tenslotte bloot aan allerlei gevaren, iedere dag opnieuw en op talloze manieren, met verschillende ziekten als gevolg. Zij beschikten nauwelijks over kennis van basale hygiëne, terwijl wij precies weten hoe we onszelf moeten beschermen.

Wat ik je nu ga vertellen kan verrassend voor je zijn. Het is waar dat wij veel schoner zijn op onszelf en veel meer weten over het belang van hygiëne. Tegelijk zijn we ons er vaak totaal niet van bewust dat wij onze persoonlijke hygiëne inmiddels naar een nieuw niveau zouden moeten tillen. Daarmee bedoel ik niet de bescherming tegen biologische ziekteverwekkers zoals virussen, bacteriën en schimmels. Ik heb het over hoe wij omgaan met de ziekteverwekkers in de onzichtbare wereld van de energie om ons heen.

Veel mensen zijn zich niet bewust van het bestaan van 'energetische ziekteverwekkers' en hebben geen benul van de manieren waarop deze ons belagen. En net zoals bij onze voorouders zorgen de onwetendheid over het bestaan van deze ziekteverwekkers en het feit dat wij onszelf er niet tegen beschermen ervoor dat wij besmet kunnen worden en dat onze gezondheid gevaar loopt.

Ik heb in de afgelopen twintig jaar duizenden mensen geheeld. Daarbij heb ik ontdekt dat blootstelling aan toxische energieën een van de manieren is waarop wij onze gezondheid ondermijnen. Verderop in dit boek zal ik uitleggen wat deze toxische energieën zijn en geef ik een beschrijving van het concept van energetische ziekteverwekkers.

Het microscopisch universum

Maar eerst bekijken we wat de negatieve gevolgen voor onze voorouders van nog niet eens zo lang geleden zijn geweest van de onwetendheid ten aanzien van de onzichtbare wereld van bacteriën. Daarna zal ik uitleggen hoe onze moderne samenleving, die in zo veel opzichten heel geavanceerd is, dezelfde fout maakt in de omgang met een andere onzichtbare wereld. Misschien moeten we niet spreken van een fout, maar van een stadium in de menselijke ontwikkeling dat we, dankzij ons gevorderde inzicht in de wereld en onszelf, inmiddels best achter ons zouden kunnen laten.

Nog maar een paar eeuwen geleden hadden mensen geen enkel besef van het complete ecosysteem van microben dat om ons heen, op onze huid en in ons lichaam bestaat. Al die miljarden bacteriën, virussen en andere organismen waren voor hen onbekend; ze hadden geen weet van hun bestaan. Dit betekent dat ook niemand, artsen noch medici, enig idee had van de essentiële rol die hygiëne speelt in het tegengaan van ziekten.

Mensen gebruikten medicijnen om van hun kwalen af te komen, maar konden daardoor dus ook gemakkelijk opnieuw besmet worden. Het probleem was dat ze niet wisten hoe het kwam dat ze ziek werden, waardoor ze ook niet konden weten hoe ze dat konden voorkomen. Pas in 1665 nam de Engelse wetenschapper Robert Hooke met een microscoop de tot dan toe allerkleinste waarneembare details van de natuur waar, en ontdekte zo de eerste cellen, waaronder eencellige schimmels. In 1675 ontdekte Antonie van Leeuwenhoek met behulp van een door hemzelf gemaakte, nog sterkere microscoop het bestaan van bacteriën.

Toch bleef ook na deze grote wetenschappelijke doorbraken het overgrote deel van de mensen onbekend met het bestaan van ziektekiemen en de schadelijke gevolgen ervan. Het resultaat was de vicieuze cirkel van ziek worden, genezen en opnieuw besmet raken, die ik hiervoor noemde. Een arts kon het beste medicijn voorschrijven dat beschikbaar was (wat vanuit ons perspectief natuurlijk nog heel weinig zegt!) om bijvoorbeeld heftige maagklachten te bestrijden, maar de problemen zouden bijna zeker terugkeren, omdat de eenmaal genezen cliënt gewoon bleef dooreten met ongewassen handen, of bedorven voedsel bleef nuttigen. Daarmee was hij terug bij af, een patroon dat zich almaar herhaalde.

Hoger leven tegenover lager leven

In de negentiende eeuw hadden mensen al veel meer inzicht in de schade die biologische ziekteverwekkers in het lichaam konden aanrichten. De kennis van wetenschappers over microben en de invloed ervan op de gezondheid nam enorm toe. Microben heetten 'huiskwalen' of 'verraderlijke vijanden' en werden geclassificeerd als behorend tot het 'lagere leven'. Mensen daarentegen behoorden tot het 'hogere leven', en tussen die twee werelden was sprake van strijd.[2]

In de negentiende eeuw kwamen veel epidemieën voor, waaronder cholera, en men was naarstig op zoek naar manieren om zich daartegen te beschermen. Het is voor ons moeilijk voor te stellen, maar zo'n honderdvijftig jaar geleden hing de medische wetenschap nog de 'miasmatheorie' aan: de meeste ziekten zouden veroorzaakt worden door inademing van schadelijke geuren ('slechte lucht') die voortkwamen uit vergaan organisch materiaal. Tot vrij kort geleden werden ziekenhuizen om die reden nog zo gebouwd en ontworpen dat er zo veel mogelijk schone en frisse lucht binnenkwam.

Campagnes ten behoeve van de volksgezondheid, die voornamelijk op huisvrouwen gericht waren, benadrukten het belang van ziektepreventie door reinheid, al was die in het begin meer gericht op het tegengaan van onaangename geuren dan op het uitschakelen van ziektekiemen. Huiselijke reinheid werd het speerpunt van gezond leven en was een aanwijzing voor iemands sociale status.[3]

Interessant is dat persoonlijke hygiëne in het victoriaanse tijdperk in Engeland opnieuw gekoppeld werd aan zedelijke normen. Terwijl het in de eeuwen daarvoor moreel verwerpelijk was om in bad te gaan, werd het nu moreel verwerpelijk om dat niet te doen! Reinheid was even belangrijk als vroomheid.

Naast de groeiende belangstelling voor juiste voeding en lichaamsbeweging werd hygiëne een teken van individuele verlichting en zelfdiscipline. Reinheid was het hoofdkenmerk van de Engelse midden- en hogere klassen. Dekens, gordijnen, luchtige kamers, zeep en een afvoer maakten deel uit van *English comfort*.[4]

Kort samengevat waren vanaf de negentiende eeuw tot relatief recent de belangrijkste doelen van persoonlijke hygiëne:

- voorkoming van ziekten;
- bescherming tegen biologische ziekteverwekkers;
- morele en ethische ontwikkeling;
- sociale status.

De geschiedenis herhaalt zich

Tegenwoordig beschikken wij over zo veel diepgaande en bewezen kennis over microben en de manier waarop ziekten worden overgebracht, dat je zou denken dat we onszelf afdoende kunnen beschermen tegen ziekteverwekkers van buitenaf. In veel opzichten kunnen we dat ook. Onze levensverwachting is verdubbeld en veel fatale ziekten zijn inmiddels overwonnen.

Velen van ons leven lang en willen ook zo lang mogelijk gezond blijven. Ik weet zeker dat je het met mij eens bent als ik zeg dat het vooruitzicht van een lang leven zonder gezondheid en welzijn niet erg aantrekkelijk is. 'Welzijn' is een modewoord geworden en iedereen lijkt er de mond vol van te hebben. Tegelijk zien we echter dat chronische vermoeidheid, eenzaamheid, emotionele overbelasting en mentale uitputting epidemische vormen aannemen.

Een arts kan dan misschien zeggen dat we gezond zijn, maar velen van ons voelen zich zelden écht lekker. Overal duiken holistische gezondheidscentra op, maar nog steeds lijkt het ons niet te lukken om gezondheid en welzijn duurzaam te integreren in ons leven. Het gaat mij er dus niet om dat je je een poosje lekker voelt, maar dat gezond zijn en je goed voelen een normale en vertrouwde toestand wordt.

Niet voor niets ben ik dit boek begonnen met een korte geschiedenis van de manier waarop mensen omgaan met hygiëne. Een vergelijking tussen het gedrag en de instelling van onze voorouders met die van ons kan verhelderen hoe veranderingen in de maatschappij plaatsvinden, en ons helpen van onze fouten te leren. Ik vrees echter dat we, als het om ons welzijn gaat, bezig zijn de fouten uit ons verleden te herhalen.

Zoals ik hiervoor heb beschreven, hadden mensen nog niet eens zo lang geleden nauwelijks vat op hun gezondheid. Ze waren overgeleverd aan ziekteverwekkers waarover ze niets wisten. Hun leefomgeving dicteerde goeddeels de duur en de kwaliteit van hun leven, en bepaalde het succes waarmee ziekten konden worden vermeden. Ik denk dat je gerust kunt stellen dat het onzichtbare rijk der microben de touwtjes in handen had in de wereld.

Zoals ik al even aanstipte bestaat er nog een andere vorm van besmetting die – net als de biologische ziekteverwekkers in het lichaam en de leefomgeving van onze voorouders – onzichtbaar is en daardoor voor de meesten van ons onbekend. Ik heb het dan over de overmatige blootstelling aan toxische energieën en vibraties.

Feit is dat we nauwelijks iets afweten van onze inwendige energieën en hoe we op dat gebied goed voor onszelf moeten zorgen. Dit heeft tot gevolg dat we vatbaar zijn voor allerlei externe energieën en invloeden, die net als microben overal om ons heen aanwezig zijn, maar zelfs met de krachtigste microscoop ter wereld onmogelijk zichtbaar kunnen worden gemaakt.

Ik hoop dat een wetenschapper op een dag een instrument uitvindt waarmee iedereen energieën in al hun vormen kan waarnemen. Voor nu ben ik, net als veel van mijn collega-energyhealers, afhankelijk van mijn handen om energieën te kunnen 'zien'. Mijn handen zijn mijn microscoop!

Jouw weg naar een duurzame gezondheid

Als eigenaar van een goedlopende praktijk gebaseerd op langetermijnresultaten ben ik ervan overtuigd dat de inzichten die ik dankzij mijn cliënten heb gekregen van waarde zijn voor iedereen die dit boek heeft aangeschaft. Daarom wil ik uitleggen welke methoden ik gebruik om een duurzame gezondheid te bereiken. Ik reik je de ontbrekende puzzelstukjes aan die – ook al zijn ze onzichtbaar – je idee over wat het betekent om je echt goed te voelen completeren.

In mijn praktijk ga ik altijd naast de cliënt staan; we benaderen de problemen als team, en bekijken ze van alle kanten. Ik doe dit omdat ik ervan overtuigd ben dat werkelijke gezondheid alleen bereikt kan worden als de cliënt verantwoordelijkheid voor zichzelf neemt en begrijpt hoe zijn of haar leefomgeving in elkaar zit. Wie dat niet doet lijkt op iemand uit de duistere middeleeuwen die maagklachten heeft en gewoon doorgaat met vervuild water drinken.

Het is van groot belang dat wij ons, naast de zorg voor onze persoonlijke hygiëne, allemaal gaan bezighouden met onze energetische hygiëne. Dat zou een van de pijlers van self-care moeten zijn, of het nu is omdat we onze gezondheid willen verbeteren, of omdat we beter willen samenwerken met een arts of therapeut. Onze benadering van energetische hygiëne moet echter verdergaan dan het maskeren van de 'geur' van een gebrekkig energetisch evenwicht, zoals onze voorouders dat deden met hun persoonlijke hygiëne. Verderop in dit boek zal ik je de werkelijke oorzaken onthullen van toxische energieën, zodat je die bij de bron kunt aanpakken.

Een andere grote passie van mij is dat ik wil proberen gezondheid en welzijn bereikbaar te maken voor iedereen, als vast onderdeel van het dagelijks leven. In de media wordt gezond leven nogal eens voorgesteld als een luxe, alleen bereikbaar voor de welgestelden onder ons. Gezond leven wordt verkocht als een combinatie van een verblijf in een peperduur resort, gevorderde beoefening van yoga en het eten van exotische gerechten. Het gevolg daarvan is dat heel veel mensen je gezond en lekker voelen zijn gaan beschouwen als een exclusief cadeau, in plaats van als iets dat eigenlijk heel normaal is.

Ik denk dat het tijd wordt om onze vooroordelen en onwetendheid over het onzichtbare – die zo veel lijken op die van onze voorouders – achter ons te laten; dat we niet alleen onze houding tegenover de wereld van energieën veranderen, maar ook de overtuiging loslaten dat gezond leven een voorrecht is van de happy few. Welzijn is geen statussymbool, maar een noodzakelijkheid, net zoals dagelijks een douche of een bad nemen.

Hoe ik mijn waarheid ging leven

'Mama, waarom voel ik dit in mijn hand?' 'Waarom voel ik dingen op deze manier?'

Als jong meisje stelde ik dit soort vragen en ik voel me gezegend dat ik een moeder had die mijn vragen niet naast zich neerlegde, maar oprecht probeerde ze te beantwoorden en een en ander aan mij uitlegde.

Daar is ook wel een unieke reden voor: al minstens vijf generaties zijn de vrouwen van mijn moeders kant geboren met de gave van healing. De oudere vrouwen hielpen de jongere, dus ook mij, om deze uitzonderlijke vermogens te begrijpen en te benutten ten behoeve van andere mensen.

Aan het begin van mijn leven kreeg ik als healer echter te maken met een enorm obstakel: ik was namelijk geboren in Rusland ten tijde van het communistische regime. Zoals je waarschijnlijk weet is de communistische ideologie gebaseerd op materialisme en fel gekant tegen elke vorm van spiritualiteit en metafysica. De Sovjets geloofden dat spirituele overtuigingen de opium van het volk waren en dat alleen de marxistisch-leninistische doctrine leidde naar een gelukkige toekomst. Iedereen die het waagde een weg te volgen die niet strookte met de communistische ideologie of belangstelling toonde voor iets anders, was verdacht of werd als staatsvijand gezien. De Sovjetregering voorzag geheel en al in wat het Russische volk nodig had, maar in ruil daarvoor moest dat volk het regime dienen en verheerlijken, en de ideologie ervan beschermen.

Om deze reden moesten mensen zoals mijn moeder, die hun helende gaven wilden delen, anderen wilden helpen en hun vermogens wilden ontwikkelen, heel omzichtig en discreet te werk gaan. Mijn moeder werkte op de oncologieafdeling van een ziekenhuis; het lukte haar om na haar werk in ons appartement in Moskou healingsessies te doen. Als ik hierop terugkijk, denk ik dat dit bijzonder moedig van haar was. Ik heb grote bewondering voor hoe zij anderen heeft proberen te helpen onder zulke risicovolle omstandigheden.

Mijn opleiding tot energyhealer

Ik heb veel profijt gehad van de healingsessies van mijn moeder die bij ons thuis plaatsvonden. Van jongs af aan kon ik zien hoe zij mensen behandelde en hoe ze met hen omging. Daar heb ik veel van geleerd.

Mijn moeder legde mij uit dat het menselijk lichaam omgeven wordt door een energieveld of aura, en ze liet mij zien hoe je de vibratie of trillingsfrequentie daarvan kunt ontcijferen. Ik raakte vertrouwd met de golflengten van bepaalde ziekten, en met die van gezondheid. Ik leerde om in mijn handen de energetische identiteit van verschillende medische aandoeningen te onthouden, en wat ik kon doen met blokkades in de aura. Ik leerde ook hoe ik helende energie moest doorgeven om de aura in balans te brengen. Al deze aspecten van energyhealing komen in dit boek aan de orde.

Mijn moeder benadrukte het belang van behandelmethoden die toegesneden zijn op de behoeften van de individuele cliënt, en van begeleiding in self-care, gebaseerd op de unieke energetische identiteit van de cliënt. Nog steeds is dat het grondbeginsel van mijn werk, en het heeft mij geïnspireerd om dit boek te schrijven.

Ik heb destijds in Moskou nog meer belangrijke lessen geleerd. Onder de Sovjetregering was het voor healers, spirituele leraren en parapsychologen onmogelijk om elkaar in het openbaar te ontmoeten om helingmethoden en spirituele zaken te bespreken. Sommigen kwamen daarom samen in de veilige omgeving van onze keuken. Onder het genot van eten of een kop thee deelden ze hun ideeën en ervaringen, en wisselden handgeschreven vertalingen uit van boeken over healing en spiritualiteit die vanuit het buitenland Moskou waren binnengesmokkeld.

Het was voor mij een eer om deze mensen te ontmoeten en kennis te nemen van hun wijsheid. Het was heel bevorderlijk voor mijn eigen spirituele groei om omringd te zijn door mensen die, ondanks het dreigende politieke klimaat en het gevaar van vervolging, een manier hadden gevonden om hun waarheid te leven, geestverwanten te vinden en hun helende gaven in te zetten voor wie daar behoefte aan hadden. Deze bijzondere mensen hebben mij geholpen mijn vaardigheid in de omgang met een vijandige omgeving en ongunstige omstandigheden te vergroten, en mij niet van de wijs te laten brengen door de weerstand van sceptici. Zij hebben me laten zien dat niemand ons onze vrijheid van geest kan afnemen, tenzij wij dat toestaan en het laten gebeuren.

Helende gaven brengen voor degenen die zich ermee bezighouden de grote verantwoordelijkheid met zich mee om de eigen energetische kanalen zuiver te houden. Daarom is het heel belangrijk dat wij goed voor onszelf zorgen. Mijn moeder en mijn oudere zus zorgden voor hun gezondheid en welzijn door regelmatig te vasten, te mediteren en gezond te eten. Gezond leven, op alle niveaus, was bij ons thuis de norm en werd beschouwd als iets noodzakelijks, niet als een luxe.

Ik heb ook het enorme geluk gehad dat mijn vader, een wetenschapper gepromoveerd in de werktuigkunde, positief stond tegenover de mogelijkheden van heling en het bestaan van de aura. Hij ontkende ze niet, ook al waren ze strijdig met het logische verstand of met wetenschappelijke principes. Gedurende zijn hele leven is hij buitengewoon trots geweest op de gaven die mijn moeder, mijn zus en ik bezaten, en hij genoot ervan als wij hem vertelden over de succesvolle resultaten die wij met ons energiewerk behaalden.

Tot aan het eind van zijn leven was hij aanwezig bij bijna al onze seminars en lezingen, en hij was zeer geraakt door het feit dat er zo veel mensen baat hadden bij de helingsmethoden van onze familie. Hij accepteerde volkomen wat hij voor zijn ogen zag gebeuren, zonder zich te laten verblinden door wetenschappelijke kennis, een starre denkwijze of de angst daarmee in te gaan tegen de gevestigde opvattingen.

Deze acceptatie is een enorme steun geweest voor mijn zelfvertrouwen, vooral als ik te maken kreeg met het cynisme van mensen die geen besef hadden van het spirituele. Dankzij mijn vader ben ik gaan geloven dat wetenschappers in hun pogingen ons begrip van de wereld om ons heen te vergroten, nooit hun nieuwsgierigheid en gevoel van verwondering mogen verliezen.

Mijn opleiding als energyhealer en het verkrijgen van esoterische kennis vonden dus in het geheim plaats; undercover zou je kunnen zeggen. Mijn officiële studie van de werking van het menselijk lichaam deed ik aan de universiteit van Moskou. Omdat ik geloofde dat ik mijn helende vermogens nooit in het openbaar zou kunnen gebruiken, dacht ik er goed aan te doen geneeskunde te studeren want, zo redeneerde ik, dan was ik in elk geval alvast professioneel bezig in de gezondheidszorg.

Achteraf ben ik heel dankbaar voor mijn opleiding in de reguliere geneeskunde, want dankzij die kennis kan ik mij een holistisch beeld vormen van de behoeften van mijn cliënten. Ik beschouw geen enkele geneeswijze als alternatief; ze zijn allemaal complementair, ze vullen elkaar aan. Beide scholen van geneeskunde hebben recht van bestaan en, nog belangrijker, verdienen het om verweven te worden en elkaar te verbeteren.

Ik voltooide mijn studie geneeskunde aan het eind van de jaren tachtig, toen president Gorbatsjovs politieke programma van perestrojka en glasnost in Rusland voor een revolutie zorgde. We werden liberaler en konden ontspannener leven, en mensen kregen de vrijheid om zich te uiten. De oude Russische geneestraditie kwam weer op, en op zoek naar richting wendden mensen zich opnieuw tot het spirituele, in plaats van tot communistische doctrines.

Werken in moeilijke omstandigheden

Nadat in 1991 de Sovjet-Unie was ingestort, veranderde het leven voor mij en mijn moeder ingrijpend. Het was alsof er een raam was opengezet en wij eindelijk frisse lucht kregen. Er heerste opwinding over de nieuwe vrijheid en alle mogelijkheden die we daardoor kregen. Mijn moeder vertrok bij de kliniek waar ze werkte en zette in Moskou met enkele collega-healers een van de eerste praktijken voor energyhealing op, iets wat ten tijde van het communisme ondenkbaar was geweest.

Omdat ik mij altijd aangetrokken gevoeld heb tot een eclectische benadering van holistisch genezen, reisde ik naar Zuidoost-Azië om mij te bekwamen in acupunctuur en andere natuurlijke geneeswijzen. In het begin van de jaren negentig kwam ik in Engeland terecht, waar ik sindsdien woon. Tot mijn stomme verbazing werd mijn werk hier benaderd op een manier die niet veel verschilde van wat ik uit de Sovjettijd kende!

Veel mensen vonden de manier waarop ik healings uitvoerde te etherisch, te ongrijpbaar, te onverklaarbaar en te veel verschillend van de maatschappelijk geaccepteerde vormen van geneeskunde. Mensen lieten zich door hun vooroordelen leiden; ze probeerden zelfs niets anders. Ik werd niet alleen bekeken met scepsis – die nog weggenomen kon worden door de feitelijke resultaten – maar zelfs met openlijk cynisme.

Ik merkte dat sommige mensen wel geïnteresseerd waren in complementaire geneeswijzen, maar dat energyhealing te hoog gegrepen was. Dus hoewel ik in Engeland vrij was om mijn diensten als healer aan te bieden, waren de meeste mensen die ik ontmoette niet bereid zich open te stellen voor iets dat nieuw of anders was. Ik voelde op dat moment grote dankbaarheid dat ik destijds in de Sovjet-Unie healers had ontmoet die mij hadden laten zien hoe je ondanks weerstand en ridiculisering krachtig en vol zelfvertrouwen overeind kunt blijven staan.

In de eerste jaren dat ik in Engeland een eigen praktijk had, merkte ik dat ik een bepaald soort cliënten aantrok: mensen die in een schijnbaar uitzichtloze gezondheidssituatie zaten en bereid waren energyhealing te proberen als laatste redmiddel. Nog altijd word ik triest als ik eraan denk dat velen zich pas openstellen voor de onstoffelijke, spirituele kant van onze menselijke aard als ze daartoe worden aangezet door pijn of wanhoop.

Met deze 'moeilijke' eerste cliënten bouwde ik mijn praktijk stap voor stap op. Als het mij zou lukken ze allemaal met succes te helpen, was dat een levendige demonstratie van de mogelijkheden van energy-healing. Langzaamaan werd mijn praktijk dankzij mond-tot-mond-reclame een van de drukstbezochte in Londen.

In het midden van de jaren negentig zorgde de Cool Brittania-periode voor een hernieuwd enthousiasme in Engeland. Net als de periode van perestrojka en glasnost in de Sovjet-Unie was dit een enorm opwindende tijd. Na de recessie begin jaren negentig keek het land meer naar buiten en stelde zich open voor nieuwe en oorspronkelijke ideeën. Het was een heel optimistische periode waarin de creativiteit van het individu werd aangemoedigd.

Yoga, biologisch voedsel en alternatieve geneeswijzen werden ineens door het grote publiek omarmd, en mensen gedroegen zich expressiever en waren minder gereserveerd. Net als destijds in mijn vaderland ademde ik de frisse lucht van verandering en onbegrensde mogelijkheden in! In de bekende glossy's verschenen artikelen over mijn praktijk en ik werd uitgenodigd om te werken in het Londense Life Centre, een van de eerste centra in Engeland waar yoga en healing werden onderwezen.

Mijn inspiratie voor dit boek

Die onzekere eerste dagen als undercover leerling-energyhealer in de Sovjet-Unie liggen inmiddels ver achter me. De privépraktijk die ik in Londen opzette, heb ik nog steeds. Ik werk het liefst alleen, buiten de spotlights. De afgelopen twee decennia heb ik in mijn praktijk cliënten mogen ontvangen van over de hele wereld, en is deze meermalen uitgeroepen tot een van de beste tien healingpraktijken van het Verenigd Koninkrijk. Mijn successen hebben respect afgedwongen bij reguliere medici en mijn wachtlijst wordt steeds langer.

Naast de praktijk heb ik nog een andere passie: het geven van energy-balancingretraites. Voor zo'n retraite neem ik mijn cliënten voor een intensief energetisch herstel- en rebalancingprogramma mee naar een speciale krachtplek. Ik werk ook samen met de grote internationale kuuroorden; in sommige gevallen fungeer ik daar als senior consultant en coördineer ik de integratie van medische en holistische behandelingen. Daarnaast geef ik enkele op de persoon toegespitste behandelingen, om het genezingsproces bij de kuuroordgasten op gang te brengen.

Toen ik zwanger was van mijn dochter, heb ik even afstand genomen van mijn werk met cliënten, en mijn eerste boek geschreven. Het is vertaald in zestien talen, wat mij grote deugd deed, want ik wilde dat zo veel mogelijk mensen hun voordeel konden doen met mijn beproefde energyhealingmethode voor gezinnen.

Mijn huidige manier van werken is gebaseerd op de methoden die in mijn familie worden gebruikt. Daarnaast werk ik met het vermogen dat ik heb meegekregen om de taal van trillingsfrequenties van het menselijk lichaam te begrijpen, maak ik gebruik van mijn twintigjarige ervaring met privécliënten en pas ik mijn kennis van oosterse traditionele geneeswijzen toe. Tot slot heeft mijn medische opleiding mij natuurlijk veel inzicht gegeven in de werking van het menselijk lichaam.

Mijn moeder, mijn zus en ik wisselen via Skype nog steeds informatie uit over specifieke gevallen en over de laatste ontwikkelingen op het gebied van healing. We blijven van elkaar leren. Ik vind het heerlijk dat ik dankzij mijn verschillende opleidingen voor elke cliënt de juiste healingmethode kan kiezen, en niet vastzit aan één protocol. Ik ben een groot voorstander van samenwerking tussen verschillende manieren van behandelen, van reguliere geneeskunde tot allerlei vormen van holistische therapie.

Mensen omschrijven mijn benadering van gezondheid vaak als 'no-nonsense'. Ik denk dat ik het aan mijn vader te danken heb dat ik mijn cliënten op een proactieve, pragmatische en systematische manier begeleid. Ik geloof er sterk in dat de cliënt zelf ten volle deel moet nemen aan het healingproces, wil het succesvol kunnen zijn. Mijn eigen levenslessen en het gevecht om mijn authentieke zelf te behouden hebben mij doordrongen van het belang ons bewust met onze energie te verbinden, ongeacht de omstandigheden, en onze unieke energetische identiteit te beschermen. Dit is voor mij de reden geweest om dit boek te schrijven.

Ik heb mij voor dit boek laten inspireren door de succesverhalen van de vele cliënten die ik heb ontmoet in mijn praktijk, en door mijn passie voor bewustwording: het is van vitaal belang dat we ons verbinden met en verantwoordelijkheid nemen voor onze eigen energie. Ook mijn vader is een inspiratiebron voor me geweest, want hij heeft de verantwoordelijkheid voor zijn eigen energie nooit losgelaten, ook niet toen zijn lichaam in de greep kwam van kanker. Hij stond niet toe dat het etiket van zijn diagnose, de grimmige realiteit van het ziekenhuisverblijf, de ingrijpende medische interventies en de lichamelijke pijn hem beroofden van zijn authentieke energetische vibratie.

Ben jij zover dat je je met je eigen energie wilt verbinden, er verantwoordelijkheid voor wilt nemen en energetisch het heft in handen wilt nemen? Laten we dan nu beginnen.

INLEIDING

Als je op zoek bent naar de geheimen van het universum,
denk dan in termen van energie, trillingsfrequentie en vibratie.
Nikola Tesla, Servisch-Amerikaans natuurkundige

Behorend tot de vijfde generatie van een familie van healers kan ik volmondig bevestigen dat Tesla's inzicht juist is als je de geheimen van gezondheid en welzijn wilt ontdekken. Hoewel we ons de afgelopen decennia en masse zijn gaan bekommeren om onze gezondheid en ons welzijn, zitten velen nog steeds gevangen in een vicieuze cirkel van uit balans raken, de balans hervinden, en hem opnieuw verliezen. We blijven ons afvragen waarom we ons nooit echt gezond of echt gelukkig voelen, terwijl we er toch alles aan doen om dat te bereiken.

Velen worstelen met problemen die steeds terug lijken te keren. Of klopt er misschien iets niet aan onze kijk op gezondheid, aan onze kijk op het Zelf? In mijn werk als healer heb ik ontdekt dat als je alleen met het fysieke lichaam werkt terwijl de oorzaak van je probleem energetisch is, de heling alleen maar tijdelijk kan zijn en het probleem zal terugkomen.

Ik vind het tragisch dat door deze wijdverbreide onwetendheid ten aanzien van de wezenlijk rol die energie in ons leven en onze gezondheid speelt, veel mensen nooit meer dan een beperkt welzijn zullen ervaren en daardoor niet ten volle kunnen leven.

Jouw chauffeur leren kennen

In zijn bekendste vergelijking, $e = mc^2$, laat Albert Einstein ons zien dat materie – de vaste, vloeibare en gasvormige stoffen om ons heen en in het universum – een vorm van energie is; energie en materie zijn eigenlijk twee kanten van dezelfde zaak. Misschien weet je dat in het Oosten al duizenden jaren energetische geneeswijzen worden gebruikt, zoals ayurveda en acupunctuur.

Als je nog niet hebt kennisgemaakt met deze vormen van heling, dan wed ik dat je in je leven toch weleens hebt ervaren hoe energie werkt. Heb je bijvoorbeeld ooit op een situatie gereageerd door gebruik te maken van je zesde zintuig, ofwel je intuïtie? Merk je dat je je in het bijzijn van bepaalde mensen leeggezogen voelt, terwijl het gezelschap van anderen je stemming juist verbetert? Heb je in het contact met iemand weleens een klik ervaren, een speciale verbinding? Heb je toen je een kamer in liep weleens gevoeld dat er een loodzware sfeer hing, of dat de sfeer 'om te snijden' was?

Dit zijn allemaal voorbeelden van manieren waarop je de energie waarover ik het heb kunt ervaren. Het is deze energie die we in onszelf moeten gaan herkennen als we ons leven en ons welzijn willen verbeteren. Niettemin kiezen heel veel mensen in het Westen ervoor om energie te negeren, terwijl deze juist een essentieel uitgangspunt is als we willen werken aan onze gezondheid, onze leefomgeving en onze levensweg. Mensen vormen zich in hun onwetendheid een beeld van wat energie is, in plaats van zich ervoor open te stellen en zelf te ontdekken wat het is en hoe het werkt, en op basis daarvan zich een gefundeerd oordeel te vormen.

Stel je eens even voor dat je lichaam een taxi is. Als je wilt dat je lichaam je ergens naartoe brengt, moet je de chauffeur vertellen wat je bestemming is. Stel je nu voor dat jouw energie de chauffeur is. Als je tegen de auto praat, gebeurt er niets; je moet tegen de chauffeur praten. Een van de redenen waarom mensen in hun leven geen blijvend welzijn ervaren of duurzame vervulling vinden (of beide), is dat de overgrote meerderheid niet tegen het juiste deel van zichzelf praat. We hebben nog steeds niet door wie er achter het stuur zit!

Sluit je aan bij mijn dreamteam

Als kundig en ervaren energyhealer zie ik het als mijn taak om mensen niet alleen te behandelen, maar hun ook de handvatten aan te reiken om meesterschap te verkrijgen over hun eigen welzijn, en gebruik te leren maken van de drijvende kracht achter hun leven.

Dit boek is geïnspireerd op de kostbare inzichten die heb verkregen van de mensen die naar mijn praktijk kwamen. Een van mijn grote professionele passies is te ontdekken wat er precies bij mijn cliënten moet gebeuren om een transformatie van hun welzijn teweeg te brengen: wat zijn de triggers daarvoor, en hoe kun je die benutten? Toepassing van de inzichten die ik op die manier heb verkregen levert mij in mijn praktijk al meer dan twintig jaar heel veel succes op.

Tijdens het healingproces maak ik van mijn cliënten geen volgzame discipelen of passieve energieontvangers. Ik moedig iedereen juist aan om samen met mij een team te vormen; de cliënt, het probleem van de cliënt en ik zijn tenslotte gezamenlijk bij dit proces betrokken.

Ik wil benadrukken dat het van cruciaal belang is dat mensen volledige verantwoordelijkheid nemen voor hun lichaam en hun emoties. Als je alleen maar van je probleem af wilt komen, of energie wilt 'kopen', blijf je voor eeuwig in de draaimolen van tijdelijke verbetering zitten, of je maakt jezelf alleen maar wijs dat er echt iets is veranderd. Je kunt iets kopen om jezelf te troosten. Verandering kun je echter niet kopen, die moet je verdienen. Met dit boek wil ik je de kennis en hulpmiddelen geven om dat te bereiken.

Ik bied je mijn helende handen aan en nodig je uit om samen met mij een team te vormen. Samen zullen we ons bezighouden met de praktische toepassing van metafysische kennis, en ik zal je mijn baanbrekende inzichten onthullen voor het bereiken van blijvende gezondheid en vitaliteit.

Vergeet volmaakt worden en kies voor authentiek zijn

Zoals ik eerder heb uitgelegd, heeft ieder mens een persoonlijk energieveld (ook wel aura genoemd) dat een unieke manier heeft om zich uit te drukken. De omvang van de aura verschilt van persoon tot persoon en elke aura heeft een specifieke vorm. De aura is ook niet statisch, hij vormt geen starre wolk om ons heen. Integendeel, de energiegolven van de aura zijn voortdurend in beweging en vibreren of trillen met een voor ons unieke frequentie. Deze energiegolven stromen door de belangrijkste centra en kanalen van de aura (later meer hierover). De unieke trillingsfrequentie van onze aura is tegelijk onze eigen unieke trillingsfrequentie.

De variabelen van de aura zijn zo specifiek en persoonlijk dat ze lijken op een soort paspoort of een, zoals ik dat noem, energetische identiteit. Zoals geen twee handtekeningen en geen twee sneeuwvlokken precies gelijk zijn, zo hebben wij allemaal een andere energetische identiteit. (Maak je geen zorgen als je nog steeds niet begrijpt wat energie of een aura is. We zullen daar spoedig dieper op ingaan.)

Een van de belangrijkste ideeën in dit boek is dat werkelijk geluk, werkelijke vrijheid en een zinvol bestaan alleen mogelijk zijn als we een authentiek leven leiden. En om een authentiek leven te kunnen leiden, moeten we de unieke, authentieke trillingsfrequentie van onze aura in stand houden en beschermen, en ons bewust verbinden met onze energie.

Met 'authentiek' bedoel ik dat je jezelf durft te zijn: je leeft in overeenstemming met je eigen waarden, je hebt het gevoel dat je op de juiste weg bent en je bent in staat om bij wat je ook tegenkomt 'ja' te zeggen tegen wat bij je past, en 'nee' tegen wat niet bij je past. Authentiek zijn betekent ook dat je je eigen grenzen en die van anderen respecteert.

Je denkt nu misschien bij jezelf: waarom zou ik een authentiek leven moeten leiden? Is mijn leven niet goed zoals het is? Veel mensen hebben bovendien de diepe overtuiging dat authentiek leven egoïstisch leven betekent. Daarom spenderen we onevenredig veel energie aan het tot zwijgen brengen van onze intuïtie, zodat we ons kunnen blijven richten op de energie van anderen.

We kunnen het gevoel hebben dat onze persoonlijke grenzen anderen ergeren. Als we weinig gevoel van eigenwaarde hebben, kunnen we zelfs gaan meevoelen met degenen die zich tegen onze grenzen verzetten. Het gevolg daarvan is dat we de gevoelens van anderen belangrijker gaan vinden dan wat goed voelt voor onszelf; het geluk van anderen wordt dan ons referentiepunt. Dit alles leidt ertoe dat we het respect voor onze eigen energie verliezen en ons daar niet meer bewust mee verbinden.

Ga je eigen weg

Toch is het voor ieder van ons van wezenlijk belang om controle te hebben en te houden over onze eigen energie. Anders geven we die over aan iets of iemand anders. Als we te weinig energie hebben of als we onze persoonlijke grenzen ondermijnen, raken we in de greep van de energie van de mensen om ons heen, of van de energie van onze problemen. Dan gaan we ons verloren voelen en weten we niet meer wie we zijn. Dit probleem zullen we verderop in het boek bespreken.

We weten allemaal dat onze auto een bepaald type brandstof nodig heeft, en dat de elektrische apparaten waar we mee werken een bijpassende oplader hebben en een bepaald type accu. Op dezelfde manier moet ook onze aura gevoed worden met de juiste soort energie: energie die overeenkomt met onze energetische identiteit. In dit boek gaan we kijken naar onze persoonlijke grenzen, die de filters zijn die ons beschermen tegen verkeerde soorten energie. Zonder deze filters wordt onze aura beschadigd, op dezelfde manier als onze apparaten kapotgaan als we ze met de verkeerde voeding gebruiken.

Als je je intuïtie gebruikt bij de oefeningen in dit boek, zal die je helpen jouw energetische 'poort' te zuiveren, zodat deze alleen nog bepaalde soorten vibraties binnenlaat. Je ontdekt wat jouw 'brandstof' is en hoe je daar op een gezonde en duurzame manier in kunt voorzien.

Als je voor een authentiek leven kiest, moet je onderzoeken wat je ware motieven zijn, en dat ook steeds blijven doen. Handel je bijvoorbeeld vanuit de instelling 'nooit onderdoen voor je buren', dan zul je je nooit met je eigen energie kunnen verbinden. Je maakt jezelf dan immers afhankelijk van de energie van reactie en goedkeuring van anderen.

Heel veel mensen laten hun authentieke levenskracht in de steek, omdat ze een eenvoudige waarheid vergeten: de energie van je vrije wil is sterker dan die van de sterren waarin je lot staat geschreven. Als je weigert om op te geven of te bezwijken onder zware omstandigheden, ben je sterker dan je lotsbestemming. Laat niets – geen astrologie, geen geboortehoroscoop, geen tegenslag en geen ander mens – jouw levensverhaal voor je uittekenen. Er gaat niets boven je vrije wil, die een onvervreemdbaar onderdeel is van je energetische identiteit.

Ik heb veel mensen gezien die leven binnen een geprojecteerde sjabloon, gevormd door de voorspellingen of beperkingen die anderen hun opleggen, in plaats van dat ze hun eigen levensverhaal schrijven. Overal in dit boek zal ik je laten zien hoe je je met je eigen energie en unieke energetische identiteit kunt verbinden, zodat je kunt zijn wie je werkelijk bent, je eigen weg kunt gaan en iets unieks kunt nalaten. Zo wordt de bewuste verbinding met je eigen energie een essentieel aspect van authentiek leven.

Energie-uitwisseling tussen mensen

Een ander hoofdthema in dit boek is een diepgaand en transformerend inzicht dat ik kreeg nadat ik jarenlang praktijkervaring had opgedaan en talloze gevallen van heling in mijn familie had bestudeerd. Het inzicht dat doorbrak is dat wij ons van nature en constant afstemmen op de energieën van anderen, en daarbij de neiging hebben om de trillingsfrequentie van onze aura te synchroniseren met die van de mensen om ons heen. Tot voor kort werd aangenomen dat alleen empaten of hooggevoelige mensen dit doen.

Je hebt vast weleens gemerkt dat je in de omgang met andere mensen geneigd bent je tred, je stem en je lichaamstaal af te stemmen op die van anderen. Je zult ook het effect wel kennen van een aanstekelijke lach, en het gevoel kennen van naar beneden gehaald te worden door de aanwezigheid van een bepaalde persoon.

Misschien heb je ervaring met de oude kunst van feng shui, die een gevoel van welzijn wil bevorderen door onze energie in balans te brengen met die van onze omgeving. Al vele eeuwen hebben miljoenen mensen in Azië deze kennis met het grootste respect gebruikt, vanwege het diepgaande effect ervan op zowel ons welzijn als ons leven in het algemeen.

We zullen later dieper ingaan op wetenschappelijke onderzoeken naar deze synchroniciteit tussen levende organismen, en naar de manier waarop onze leefomgeving ons biologisch en fysiologisch beïnvloedt.

We zijn allemaal één, verbonden door een onzichtbaar netwerk van menselijke energieën. Dat betekent echter niet dat wij onze authenticiteit moeten opgeven of niet meer autonoom kunnen zijn. Ik zal je onthullen wat er achter je vermogen zit om energie 'op te pikken', en je laten zien hoe je dat vermogen kunt benutten. Ik leer je ook hoe je je natuurlijke vermogen om je op anderen af te stemmen op een bewuste manier kunt gebruiken.

Een schone aura = duurzame gezondheid

Een ander belangrijk thema in dit boek is hoe we ons evenwicht ondermijnen door er niet voor te zorgen dat onze aura zijn oorspronkelijke energetische identiteit behoudt. Er zijn talloze redenen waarom we dit doen, die we een voor een zullen bekijken, maar uiteindelijk komt het erop neer dat we op dezelfde manier voor onze aura moeten leren zorgen als we dat voor ons fysieke lichaam doen.

Dikwijls verwarren we openheid naar andere mensen met energetische losbandigheid, wat iets totaal anders is. Laat ik, voor je de verkeerde conclusies trekt, uitleggen wat ik hiermee bedoel. Ik weet zeker dat je het niet goed zou vinden als iemand, wie dan ook, zomaar zijn of haar handen onder jouw kleren zou steken – dat zou niets minder zijn dan misbruik – en dat je natuurlijk altijd heel zorgvuldig beoordeelt met wie je intiem bent. Toch staan velen van ons letterlijk alles en iedereen toe om energetisch bij ons binnen te komen. Dat betekent dat we energetisch niet dezelfde zorgvuldigheid in acht nemen als die we ten aanzien van ons lichaam kennen.

Veel mensen beseffen niet dat 'open zijn' niet hetzelfde is als bij energetische uitwisselingen je kritische oordeel aan de kant zetten of je persoonlijke grenzen loslaten. Dit misverstand heeft ervoor gezorgd dat er veel meer energieën door onze (niet in stand gehouden) grenzen heen zijn gebroken dan goed voor ons is, en dat de heilige delen van ons wezen zijn blootgesteld aan negatieve invloeden of zaken die kwetsend of schadelijk voor ons zijn. Als we merken dat we negatieve mensen niet uit ons systeem kunnen krijgen, of dat we onszelf tot vuilbak maken, waarin andere mensen hun slechte gevoelens van de dag kunnen dumpen (en wij dat zomaar laten gebeuren), is wel duidelijk dat onze grenzen worden geschonden.

Het interessante is nu dat de energetische vibraties van andere mensen (waarover later meer) onze aura op een soortgelijke manier kunnen infiltreren als biologische ziekteverwekkers ons fysieke lichaam binnendringen. De dominante energie van een andere persoon kan bij ons voor een herprogrammering zorgen, of zelfs ons hele systeem platleggen, net zoals een virus de kern van een cel binnendringt. Ook als onze aura niet op deze manier is aangetast, kan hij geïnfecteerd zijn met toxische energie, net zoals een lichaam dat is blootgesteld aan bacteriën. Maar de vergelijking reikt nog verder, want ons natuurlijke verdedigingsmechanisme lijkt in principe heel sterk op ons immuunsysteem. Ik zal deze fascinerende overeenkomsten en alles wat daar verband mee houdt verderop toelichten.

Je dagelijkse persoonlijke hygiëne is bedoeld om jezelf schoon te houden en te voorkomen dat je ziektekiemen oppikt en verspreidt. Precies zo is de energetische hygiëne die ik voorsta bedoeld om je aura in een zuivere en oorspronkelijke toestand te houden, zodat die je kan beschermen tegen alles wat jouw energetische identiteit kan aantasten.

Een schone aura zorgt voor fysiek, mentaal en emotioneel welzijn: het maakt het mogelijk dat je nieuwe energie in je leven kunt ontvangen. Alleen zo kun je het wonder van een diepgaande verandering teweegbrengen en letterlijk aantrekkelijk worden – positieve vibraties in jouw wereld aantrekken. Alleen met een schone aura kun je je met je eigen energie verbinden en er verantwoordelijkheid voor nemen. Anders word je geleefd door de energieën van anderen, word je afgeleid van jouw unieke weg en blijf je je altijd afvragen wanneer je nu eindelijk eens je eigen leven kunt gaan leven!

Veel mensen houden zich pas met energetische hygiëne bezig als ze een ziekte hebben opgelopen. Ik wil jou echter aanmoedigen om energetische hygiëne vanaf nu op te nemen in je dagelijkse persoonlijke verzorging en tot een integraal onderdeel te maken van een gezonde levenswijze.

Doen wat werkt

Ik behoor tot een lange lijn van pragmatisch ingestelde healers. Ik behandel dagelijks mensen en mijn methoden en technieken zijn getest en geperfectioneerd voor een maximaal resultaat. De meditaties, visualisaties en andere tools die ik in dit boek met je deel zijn bedoeld om je naar de drempel van oneindige mogelijkheden te brengen, zodat jij jouw unieke energetische identiteit terugkrijgt en je eigen levensweg kunt gaan. Ik weet uit ervaring wat goed werkt en wat minder effectief is.

Doe de oefeningen uit dit boek alsjeblieft met een open instelling. Als je merkt dat je je verzet tegen een bepaalde oefening of denkt: dit ga ik dus echt niet doen, kijk dan zorgvuldig naar de reden waarom je zo reageert. Dikwijls deinzen we terug voor de dingen die we het meest nodig hebben, dus het zou zomaar kunnen zijn dat dit precies de oefening is waar jij echt iets aan hebt.

Veranderingen vinden plaats op de grens van onze comfortzone, wat betekent dat we niet veranderen zolang we blijven vasthouden aan wat we al weten. Veel mensen leven in een aangenaam verdoofde toestand of staan stil in hun ontwikkeling. Maar dat is niet hetzelfde als leven!

Heb alsjeblieft het lef om de gebaande paden te verlaten en gun jezelf een frisse kijk op de dingen. Ik besef dat dit geen gemakkelijk advies is en dat het moed vraagt om het ook echt te doen. Misschien houd je jezelf wel voor dat je volmaakt gelukkig bent met het leven zoals het nu is. Maar zelfs als je er nog niet aan toe bent om het idee van transformatie te omarmen (iets waartoe ik mijn cliënten aanmoedig), dan zou je het er op z'n minst mee eens kunnen zijn dat je je leven altijd kunt verbeteren. Er is altijd wel iets wat beter kan!

Als je baat wilt hebben bij de tools die ik je aanreik, dan moet je bereid zijn om te veranderen. Als je precies zo wilt blijven als je bent, zul je de vele voordelen die dit boek je te bieden heeft niet ervaren. Het kan best zijn dat je je in het begin bij sommige van mijn methoden niet op je gemak voelt, maar als je bereid bent ze uit te proberen, verzeker ik je dat je er voor je persoonlijke groei beslist iets aan zult hebben. Zie het maar als naar de sportschool gaan. Je gaat daar alleen naartoe als je erop vertrouwt dat je er baat bij hebt, en in het begin kan dat de nodige wilskracht vragen. Maar eenmaal op weg ga je je al snel beter voelen, en als je resultaten merkt, ga je er maar wat graag mee door.

Door het boek heen zal ik je vragen stellen die bedoeld zijn om je los te schudden uit je comfortzone, zodat je je unieke energetische identiteit terugvindt. Het gaat niet om een update van je systeem, maar om een reset! Als je de hoofdstukken van dit boek doorwerkt, wordt je energiesysteem niet bijgewerkt, maar gereboot. Met behulp van mijn healingmethoden ga je je leven ontleden, laag voor laag: je kijkt of je aura ergens mee besmet is, je kijkt kritisch naar de keuzes die je in je leven hebt gemaakt en je analyseert je sociale en fysieke omgeving.

Ik erken dat ik met dit boek veel van je vraag en dat het veel informatie bevat die je moet verwerken. Ik raad je dan ook aan om bij het begin te beginnen en het boek zorgvuldig helemaal door te werken. Ik begrijp ook dat velen van jullie een druk leven hebben; vandaar dat ik mijn aanbevelingen en methoden heb aangepast aan onze dagelijkse realiteit.

Zoals ik al zei, sommige van mijn inzichten kunnen moeilijk zijn om te begrijpen, maar ook al neem je energie niet waar zoals ik dat doe, je wordt er net zo door beïnvloed, voortdurend, elke dag weer. Je kunt je eigen energie niet zien, maar dat betekent niet dat die niet bestaat!

Op dit moment ben je je misschien niet bewust van de gevolgen van onvoldoende energetische bescherming of van een niet authentiek leven, maar je ervaart ze wel degelijk. Nog niet zo lang geleden waren wij ons ook niet bewust van de schadelijke uitwerking van uv-stralen en lagen we onbekommerd zonder zonnebrandcrème in de zon. We begrepen misschien wel dat te veel zon nadelig kon zijn, maar we wisten niet dat we er huidkanker van konden krijgen.

Ik heb dit boek geschreven om jou te informeren over andere soorten onzichtbare straling: die van aura's. Ook die kunnen nadelig zijn voor je leven. Anderzijds kunnen ze je ook heel veel goeds opleveren en je inzichten geven over hoe je je tegen schadelijke energieën kunt beschermen. Dit boek gaat echter niet alleen over bescherming, maar laat je ook zien hoe je kritisch met je eigen energie omgaat, want dat is even belangrijk.

Misschien komt er een dag dat wetenschappers mijn theorieën over hoe de energie van andere mensen ons kan beïnvloeden, zullen bevestigen. Voor nu hoop ik dat dit boek je alvast kan helpen om een authentieker en energetisch rijker leven te leiden.

We hebben tegenwoordig te maken met een epidemie van wederzijds energetisch misbruik; op die manier leven begint zelfs de norm te worden. Dit leidt echter tot vernietiging van het Zelf en ook van de aarde, want niet-authentiek zijn koppelt ons los van ons instinct tot zelfbehoud. Dit boek is mijn oproep aan jou om je authentieke energetische identiteit bloot te leggen, zodat de wereld er een stralende ziel bij krijgt en jij werkelijk het gevoel hebt dat je totaal leeft en jouw unieke eigenschappen en kwaliteiten energetisch tot uitdrukking brengt.

DEEL I

Energie: de zichtbare dimensie voorbij

1

Ontsluit het mysterie van wie jij bent

Op een basaal niveau bestaat je lichaam uit piepkleine eenheden, atomen genoemd. Dit geldt voor alles wat leeft en niet leeft. De kwantumfysica, de wetenschap die de werkelijkheid op de allerkleinste schaal van atomen en subatomaire deeltjes beschrijft, vertelt ons dat atomen niet vast zijn en dat we, naarmate we dieper in hun structuur kijken, zien dat ze grotendeels uit lege ruimte bestaan.

Eigenlijk is een atoom een krachtveld, een soort miniwervelstorm die energiegolven uitzendt. Dit betekent dat alles in het universum uit energie bestaat en niet uit materie, ook al zien dingen er volkomen bewegingloos en vast uit. Atomen trillen of vibreren bovendien met een bepaalde frequentie. Ook dit geldt voor alles in het universum. We zullen hier later dieper op ingaan.

Wij leven eigenlijk in een soep van energiegolven en zijn zelf ook energetische wezens. Het boek of de e-reader in je hand ziet er misschien statisch en vast uit, maar de kwantumfysica heeft ons duidelijk gemaakt dat schijn bedriegt: het boek in je hand zindert van subatomaire deeltjes die voortdurend in beweging zijn. De tafel waaraan ik zit om dit boek te schrijven ziet er vast uit, en dat merk ik als ik opsta en mijn knie ertegen stoot; toch bestaat ook deze uit subatomaire deeltjes die met een enorme snelheid bewegen.

Net als alle licht en alle materie, gedragen deze subatomaire deeltjes zich tegelijk op twee verschillende manieren. In hun dualistische toestand vertonen ze eigenschappen van zowel deeltjes als golven. Wij zijn net als alles in het universum voor honderd procent deeltje en voor honderd procent golf.

In het Westen is de opvatting populair dat het lichaam uit vaste materie bestaat. Kwantumfysici, oosterse meesters en healers zoals ik gaan er echter vanuit dat het lichaam uit energie bestaat. Maak je alsjeblieft geen zorgen als je dit idee niet kunt vatten. Ik heb dit boek niet geschreven om zoiets ingewikkelds als de kwantumfysica uit de doeken te doen, en jij hoeft daar beslist niet meer van te weten om baat te hebben bij wat ik je in dit boek zal bijbrengen. Aura-energie gaat over de praktische toepassing van metafysische kennis, met de bedoeling je gezondheid en je welzijn te verbeteren.

Maak kennis met je aura

Het idee dat je een energetisch wezen bent is misschien lastig te accepteren, maar het is van wezenlijk belang dat je dat doet; ik weet zeker dat het je veel zal brengen als je er eenmaal aan gewend bent. Als ik je in dit hoofdstuk informeer over je energetische essentie, gebruik ik daarbij enkele oosterse filosofische principes, omdat die helder en universeel zijn.

Zoals ik in de inleiding al heb aangegeven, hebben wij allemaal een onzichtbaar energieveld of aura rondom ons lichaam. Deze aura staat niet los van de natuur: hij is ontstaan uit de ontmoeting van twee tegengestelde magnetische krachten in ons fysieke lichaam. De ene kracht stroomt vanaf de grond omhoog (vanuit de aarde), de andere komt van bovenaf naar ons toe (vanuit het universum).

In afbeeldingen wordt de aura vaak voorgesteld als een soort schil die om ons heen hangt en los van ons staat, maar dat klopt niet. We zijn in onze aura gedrenkt, zoals een foetus in het vruchtwater van de baarmoeder.

Zoals je al hebt gezien bezit je aura een paar variabelen die jou een unieke energetische eigenheid geven. Jouw aura heeft een vorm die verschilt van die van mij en alle andere mensen. De energiegolven ervan vibreren met een frequentie die uniek is voor jou.

Je kunt feitelijk zeggen dat jij een unieke energiegolf bent, zoals iedereen dat is. Soms kom je mensen tegen met een trillingsfrequentie die lijkt op die van jou; je merkt dan dat jullie op dezelfde golflengte zitten. Je denkt misschien dat dit figuurlijk bedoeld is, maar eigenlijk geef je hiermee heel precies aan hoe je affiniteit met die persoon eruitziet.

Ik wil graag benadrukken dat ik me in dit boek bezighoud met die aspecten van de aura die verband houden met ons ego-zelf en onze persoonlijke ruimte. De ziel maakt ook deel uit van de aura – als de buitenste laag ervan – en heeft een uiteraard onbegrensde hoeveelheid variabelen. Dat is echter het onderwerp van een ander boek!

Het kan zijn dat jij je aura niet kunt waarnemen – verderop zal ik je leren hoe je er toch mee kunt werken – maar voor mij en andere healers zijn aura's zichtbaar. Als energyhealer werk ik dagelijks met de menselijke aura. Mijn buitenzintuiglijke gave maakt dat ik de aura van een cliënt kan 'lezen' en opnieuw kan afstemmen, zodat er een authentiek evenwicht ontstaat, zoals ik het noem. Hierover later meer.

Je aura voelen

Je zou de volgende eenvoudige oefening kunnen doen om de energie van je aura te voelen, zodat de informatie in dit hoofdstuk voor jou niet alleen cerebraal is, maar tastbaar wordt.

* Wrijf je handen tien tot vijftien seconden snel en stevig tegen elkaar.
* Maak nu je handen van elkaar los en houd ze op tien tot vijftien centimeter van elkaar. De meeste mensen ervaren nu een bal van magnetische kracht tussen hun handen. Ze verbazen zich er vaak over hoe duidelijk voelbaar die is.
* Je kunt dit gevoel intensiveren door je handen iets naar elkaar toe en weer van elkaar vandaan te bewegen.
* Wat voel je nu? Je aura!

Vorm en functie van de aura

De aura bestaat uit zeven lagen of energiestromen, elke laag met andere doelen en eigenschappen. Sommige mensen vergelijken de structuur van de aura met de rokken van een ui, maar als Russin vergelijk ik de aura liever met de beroemde matroesjka. Ons fysieke lichaam is dan het kleinste poppetje en daaromheen zitten de zeven lagen van de aura, waarvan de volgende steeds iets groter is dan de vorige.

Anders dan bij een matroesjka zijn alle lagen of energiestromen van de aura met elkaar verbonden, en ze beïnvloeden elkaar ook onderling. Ze zijn van invloed op onze gevoelens, emoties, gedachtepatronen, ons gedrag, welzijn en onze algehele gezondheidstoestand. In dit boek zal ik mij bezighouden met de drie lagen die zich het dichtst bij het fysieke lichaam bevinden.

Tijdens de oefeningen en meditaties verderop in het boek werk je steeds met deze drie lagen van de aura:

* De fysieke laag
* De emotionele laag
* De mentale laag

Laten we deze drie lagen eerst afzonderlijk bekijken.

De fysieke laag

Dit is de meest verdichte laag van de aura, omdat die het dichtst bij het fysieke lichaam ligt. Als je deze laag zou kunnen zien, dan zou je zien dat het een exacte kopie is van je lichaam; alle organen en lichaamsstructuren zijn erin terug te vinden. De fysieke laag doordringt je fysieke lichaam, volgt de contouren ervan en strekt zich doorgaans drie tot vijf centimeter buiten je lichaam uit.

De fysieke laag van de aura wordt ook wel aangeduid met energiematrix, want hij vormt de brug tussen de stoffelijke wereld om ons heen en onze onstoffelijke, energetische aspecten. De fysieke laag wordt bedekt door energiekanalen, ook wel meridianen genoemd, die specifieke delen van het lichaam met elkaar verbinden. De meridianen komen straks aan bod.

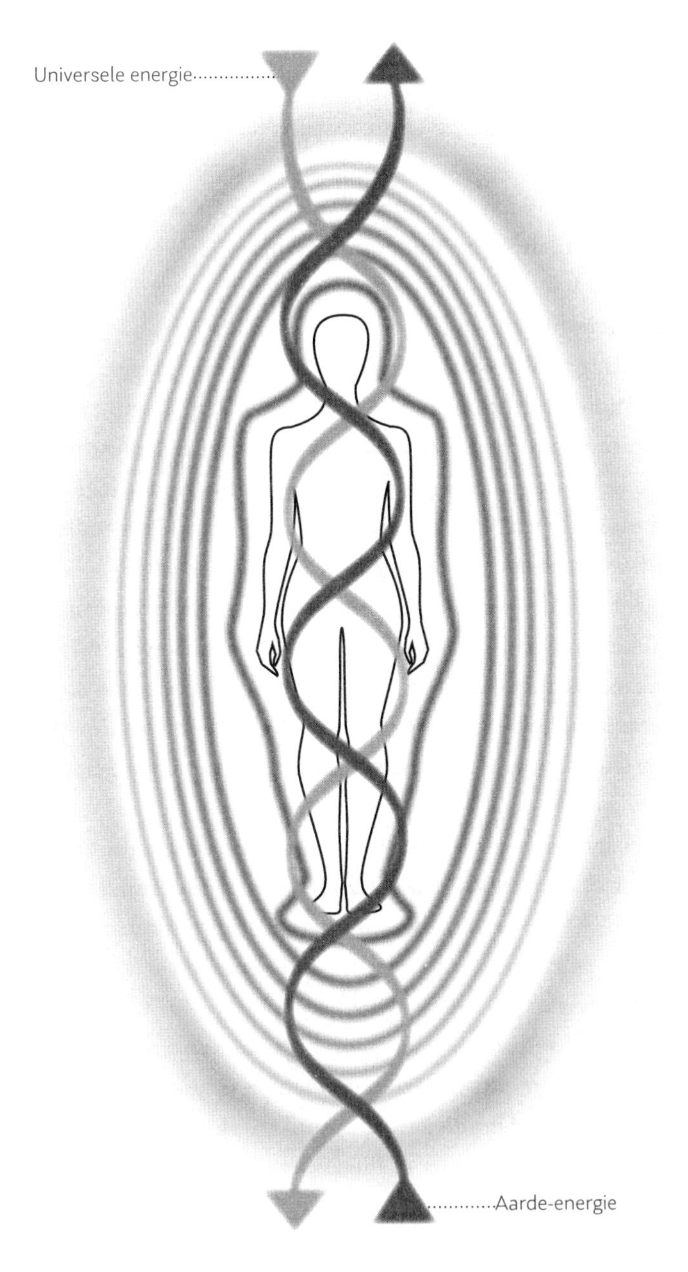

De aura en de richting van de primaire energiestromen. (Opmerking: de kruispunten van de pijlen zijn niet nauwkeurig aangegeven en alleen als algemene aanwijzing bedoeld.)

Acupuncturisten en beoefenaars van de traditionele Chinese geneeskunde werken rechtstreeks met de meridianen, maar er zijn meer geneesdisciplines die er gebruik van maken. Iedere verandering in je organen of je fysiologie wordt weerspiegeld in de toestand van de fysieke laag van je aura, die dan ook uiterst belangrijke aanwijzingen geeft over je algehele lichamelijke gezondheidstoestand.

De emotionele laag

De tweede laag van de aura weerspiegelt onze emotionele geschiedenis en onze huidige emotionele toestand. Deze laag heeft een duidelijk gedefinieerde vorm en strekt zich zo'n vijf tot tien centimeter buiten het fysieke lichaam uit. Overigens hangt de omvang van deze laag af van onze emotionele intelligentie; hoe meer emotionele intelligentie wij bezitten, hoe krachtiger deze laag is.

Deze laag heeft scherp afgebakende grenzen, maar de inhoud ervan is altijd in beweging. Clusters van energiematerie bewegen zich voortdurend naar elkaar toe en maken zich weer van elkaar los, ongeveer zoals in een lavalamp. Als je gezonde emoties hebt, zijn deze veranderende energiepatronen glad, stromen ze vrij en zijn ze helder van kleur.

Wanneer je echter in de greep bent van negatieve emoties, zoals jaloezie, angst of boosheid, dan stagneren ze en worden ze donker en klonterig. Dit kan een negatieve uitwerking op je fysieke gezondheid hebben, want de fysieke laag en de emotionele laag van de aura zijn met elkaar verbonden.

Als je iemand ontmoet en instinctief op die persoon reageert – of je die persoon nu beter zou willen leren kennen of juist liever zo ver mogelijk uit je buurt wilt houden – dan komt dat doordat je reageert op de emotionele laag van de aura van die ander. We zijn geneigd om ons te verbinden en mee te voelen met mensen waarvan de emotionele energie overeenkomt met die van ons. Omgekeerd vermijden we mensen van wie de emotionele laag geblokkeerd is door boosheid of een negatieve stemming, want we voelen ons daardoor belast, of ons hart sluit zich daarvoor.

Door negatief tegen onszelf te praten of negatieve gedachten te hebben kunnen we onze eigen emotionele laag blokkeren of vervuilen. Dit brengt ons bij de volgende laag...

De mentale laag

Dit is de energie van onze gedachten, onze kennis en onze ervaringen. Net als de andere lagen heeft ook deze laag de vorm van ons fysieke lichaam. Hij strekt zich grofweg tien tot twintig centimeter buiten ons fysieke lichaam uit en stroomt van onze kruin naar onze voeten.

Als gevolg van mentale blokkades, te starre opvattingen en bekrompenheid, of door manipulatief gedrag van anderen kan deze laag gaan stagneren. Vastzittende en traumatische herinneringen kunnen ook in deze laag aanleiding zijn voor energieblokkades; we merken dan dat het ons niet lukt om de nasmaak van deze ervaringen kwijt te raken.

De gezondheid van onze mentale laag wordt bepaald door onze houding tegenover het verleden, en hangt af van de vraag of we in staat zijn moeilijke ervaringen te verwerken en los te laten, of dat we ze met ons mee blijven dragen en ze in ons denken als een kapotte grammofoonplaat blijven herhalen. Elke ervaring uit het verleden, ongeacht hoe goed we ons die herinneren, is in deze laag vastgelegd. De greep die deze laag op ons heeft, hangt af van onze houding tegenover het verleden en onze toewijding aan de energie van het huidige moment.

De toestand van de mentale laag wordt ook bepaald door onze openheid van geest – staan we open voor nieuwe ideeën, of hebben we een mentale muur opgetrokken tussen onszelf en theorieën, meningen en gebeurtenissen die buiten onze comfortzone liggen? Blokkades op dit niveau zorgen er vaak voor dat we niet willen veranderen, omdat veranderen betekent dat we vertrouwd terrein moeten verlaten.

De mentale laag is sterk verbonden met de emotionele en de fysieke laag. Onze gedachten en overtuigingen lokken altijd een emotionele reactie uit, en beïnvloeden ook allerlei lichaamsfuncties en de neurologische structuur van ons lichaam.

De energiecentra en -kanalen van de aura

De beste manier om bewust contact te maken met je aura is door middel van de belangrijkste centra ervan – in de oosterse leringen 'chakra's' genoemd – en de energiekanalen of 'meridianen', die alle lagen van de aura doordringen. (Dit klinkt nogal theoretisch allemaal, maar deze kennis is absoluut van belang als je een voorspoedig leven wilt leiden!)

De natuur heeft ons de mogelijkheid gegeven om deze energiecentra en -kanalen te gebruiken om meesterschap te verkrijgen over onze gezondheid en ons leven als geheel. Maar nogmaals: omdat ze onzichtbaar zijn, herkennen velen van ons ze niet, of we weten niet hoe we er gebruik van kunnen maken. Door dit hele boek heen zullen we met chakra's en meridianen werken, omdat dit de 'stemsleutels' zijn waarmee we onze aura weer in balans kunnen brengen. Ik zal je precies laten zien hoe je dat doet.

Alleen al de bewustwording van het bestaan van chakra's en meridianen, brengt je dichter bij meer evenwicht in je leven, want het zijn goede aanknopingspunten voor zelfreflectie. Het kan zijn dat alleen al het lezen van dit hoofdstuk je inspireert om direct op een ander, diepgaander niveau naar jezelf te kijken.

Verderop zal ik je krachtige meditaties en oefeningen geven waarbij al je zintuigen betrokken zijn; ze helpen je om je verbeelding te gebruiken, wat een van de beste manieren is om je met je chakra's te verbinden.

Chakra's

Zoals je inmiddels weet is de aura het resultaat van de interactie tussen twee krachtvelden, dat van het universum, dat neerwaarts stroomt, en dat van de aarde, dat opwaarts stroomt. Deze krachtvelden kruisen elkaar in je lichaam en op de belangrijkste kruispunten vinden we de chakra's. (De chakra's hebben geen fysieke vorm; een conventionele röntgenfoto of MRI-scan kan de aanwezigheid of locatie ervan niet tonen.)

Chakra's zijn wervelingen of draaikolken van energie (het woord 'chakra' betekent in het oude Indiase Sanskriet 'wiel', maar voor mij

lijken de chakra's meer op wervelwinden. In oosterse tradities worden ze vaak afgebeeld als een lotus, de bloem van spiritueel ontwaken). Je kunt de chakra's eigenlijk zien als opslagplaatsen van energie, want er wordt energie bewaard van de twee krachtvelden die de aura vormen, die van het universum en de aarde, maar ook energie uit onze leefomgeving en energie die ontstaat door onze levenswijze (voeding, ademhaling enzovoort). De chakra's zijn ook verantwoordelijk voor de omzetting van energie, voor eigen gebruik en ten behoeve van de wereld om ons heen.
De zeven belangrijkste chakra's zijn bijna allemaal gelokaliseerd langs de wervelkolom:

1. Basischakra
2. Heiligbeenchakra
3. Zonnevlechtchakra
4. Hartchakra
5. Keelchakra
6. Derde-oogchakra
7. Kruinchakra

Deze sterk geladen energiecentra langs onze wervelkolom draaien met de klok mee als ze de energie van ons lichaam naar het ons omringende energieveld verplaatsen. Ze draaien tegen de klok in als ze energie van de buitenwereld of onze leefomgeving in ons lichaam brengen.

De zeven chakra's besturen verschillende organen en fysiologische processen van ons lichaam; ze sturen er hun opgeslagen energie naartoe. Als een van onze chakra's beschadigd is, is direct merkbaar dat er iets niet in orde is in het ermee corresponderende orgaan of systeem van ons fysieke lichaam.

Elk chakra past de erdoorheen stromende aura-energie aan zijn unieke trillingsfrequentie aan. Deze komt overeen met een bepaalde kleur (die, zoals we op school geleerd hebben, eigenlijk een golflengte is van actief bewegende energie) en verschillende klanken (met andere woorden: vibraties met verschillende frequenties).

De chakra's reageren ook op bepaalde geuren en smaken. Als je hierna de beschrijvingen van de chakra's doorleest, probeer dan met je bewustzijn naar de lichamelijke locatie ervan te gaan en het chakra ook te 'proeven', te 'horen', te 'ruiken' en te 'zien'. Elk van deze energiecentra omvat de fysieke, emotionele en mentale energie van je aura, vandaar dat ik ook de organen, emoties en gedachten/overtuigingen noem die met elk chakra samenhangen.

De tweezijdige expressie van de chakra's

Wat ik je nu ga vertellen is cruciale informatie over de chakra's die maar al te vaak over het hoofd wordt gezien. Het heiligbeen-, zonnevlecht-, hart-, keel- en derde-oogchakra hebben twee energiedraaikolken: een aan de achterkant en een aan de voorkant. Je kunt je deze chakra's voorstellen als zandlopers, waarbij je lichaam het midden is.

De draaikolk aan de achterkant heeft als doel energie te vergaren; je zou dit kunnen zien als je energiebank, als je potentieel. De draaikolk aan de voorkant is geprogrammeerd om externe energieën te testen en, nog belangrijker, om de energie en de kenmerken van de chakra's de wereld in te sturen.

Het basis- en kruinchakra functioneren anders, omdat ze maar één trechtervormige energiedraaikolk hebben, die overigens net zo krachtig is als die van de tweezijdige chakra's, zo niet krachtiger. Het basischakra is open naar de grond, om aarde-energie op te nemen, en het kruinchakra is open naar boven, naar het universum. Toch moeten ook deze twee chakra's zowel energie kunnen opnemen, als energie naar buiten kunnen uitzenden, om die met de wereld te delen.

Tegenwoordig zijn veel mensen volledig gericht op consumeren. Zelfs als ze met de chakra's werken, zijn ze gericht op het vergaren van energie om een hoger spiritueel niveau te bereiken. Je kunt nog zo veel vormen van meditatie, yoga en energiewerk beoefenen, maar als je chakra's geen energie naar buiten zenden ten behoeve van je leefomgeving, de mensen om je heen en de samenleving waarvan je deel uitmaakt, zal je aura nooit gezond worden.

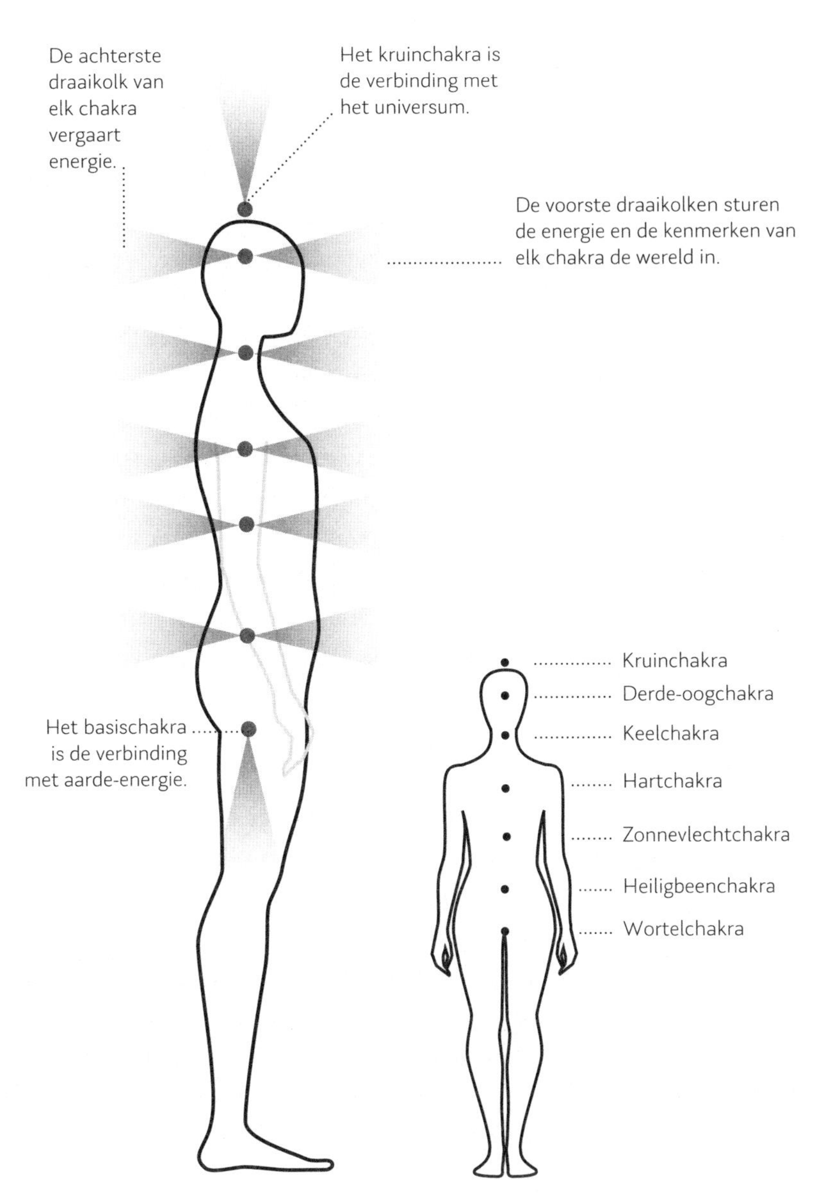

De tweezijdige expressie van de chakra's

Ik heb bijvoorbeeld verschillende mensen ontmoet die in een yogacentrum de meditatie voor liefdevolle vriendelijkheid doen, maar direct na de les in de kleedkamer onvriendelijke opmerkingen maken of onfrisse roddels uitwisselen. Ik ken ook mensen die zich alleen interesseren voor spirituele onderwerpen; aardse zaken vinden ze de moeite niet waard. Toch heeft onze ziel zowel aardse als spirituele ervaringen nodig. Wij moeten verankerd zijn in de wereld, daar maken we tenslotte deel van uit!

Hoe hoger en breder de takken van een boom uitgroeien, hoe dieper en wijder de wortels zich moeten verspreiden. Zo is het ook met ons. Hoe meer we onze spirituele aspecten tot uitdrukking brengen en ons met onze aura bezighouden, hoe meer we kunnen en moeten investeren in onze verankering in en betrokkenheid bij ons fysieke, menselijke aardse bestaan. Zoals geen lotusbloem kan groeien zonder modder, zo kan onze energie nooit ontwaken zonder de 'modderige' ervaringen van het leven. Daarom denk ik dat je alleen bezighouden met spirituele zaken zeer waarschijnlijk niet kan leiden tot een holistische verandering in je aura.

Het chakrasysteem

Onze chakra's moeten in de stoffelijke wereld hun functie kunnen vervullen, zoals ik verderop uiteen zal zetten, anders raken ze geblokkeerd of uit balans. Als ze niet meer op de juiste manier draaien, raakt onze energiestroom geblokkeerd. Na verloop van tijd kan zo'n blokkade leiden tot lichamelijke klachten in de organen of lichaamssystemen die met het betreffende chakra verbonden zijn, onze psycho-emotionele toestand kan er negatief door beïnvloed worden en ons levensdoel en onze intenties kunnen worden ondermijnd. Kennis over en zorg voor je chakra's zal een positief en holistisch effect hebben op je algehele gezondheid en je leven in het algemeen.

Hieronder volgt een kort overzicht van het chakrasysteem, met de informatie die je nodig hebt om met dit boek aan de slag te kunnen.

Basischakra

Fysieke locatie: tussen de geslachtsdelen en de anus
Kleur: robijnrood
Toonhoogte: c
Klank: bongo's
Geur: kaneel, gemaaid gras, natte steen, aarde
Element: aarde
Smaak: kersen, tomaten, rode peper, zelfbereid voedsel
Organen/lichaamssystemen: baarmoeder, prostaat, anus, benen, dikke darm, heiligbeen
Overtuiging: 'ik ben veilig'
Innerlijke expressie: verbinding met de aarde en opname van aarde-energie, overlevingsvermogen, zelfvertrouwen, stabiliteit, gronding, loslaten
Uiterlijke expressie: de rekeningen op tijd betalen, netheid, orde in zaken die te maken hebben met overleving, een goede relatie met je familie, een thuis creëren, je buren leren kennen, gezonde gewoontes aanleren, tuinieren, goed voor je lichaam zorgen

Heiligbeenchakra

Fysieke locatie: tussen de schaamstreek en de navel
Kleur: oranjegoud
Toonhoogte: d
Klank: oceaan- of zeegolven, waterval
Geur: je favoriete geur, oranjebloesem, de geur van een babyhuidje, vanille, jasmijn
Element: water
Smaak: wortels, satsuma, zoete aardappels, exotisch voedsel, lekkernijen
Organen/lichaamssystemen: immuunsysteem, bijnieren, nieren, blaas, eierstokken, lendenwervels
Overtuiging: 'ik ben het waard'
Innerlijke expressie: haalt energie uit voedsel en slaat die op, seksualiteit, sensualiteit, vreugde, speelsheid, creativiteit

Uiterlijke expressie: eer, sensuele behoeften, je zintuigen leren voeden door je te verbinden met fijne geuren, texturen, smaken en sensaties die je prettig vindt en waarvan je geniet, dansen, leren ontvangen, gezonder eten

Zonnevlechtchakra

Fysieke locatie: zonnevlecht
Kleur: geelgoud
Toonhoogte: e
Klank: laaiend vuur
Geur: citroen, versgebakken brood en pasta
Element: vuur
Smaak: bananen, gele pepers, meloen, mais, boekweit, volle granen, kiemen
Organen/lichaamssystemen: maag, lever, alvleesklier, milt, dunne darm, borstwervels, lage luchtwegen
Overtuiging: 'ik ben sterk'
Innerlijke expressie: bescherming tegen een vijandige omgeving, vitaliteit, persoonlijke aantrekkingskracht en charisma, levenslust, proactief zijn, wilskracht, authentieke keuzes, achter je keuzes staan, je verbinden met je sociale omgeving/vrienden
Uiterlijke expressie: weloverwogen risico's leren nemen en uit je comfortzone komen, je levensopdracht formuleren, keuzes van anderen respecteren, eigen grenzen stellen en die van anderen respecteren, anderen steunen, andermans successen bewonderen, leren jaloezie los te laten, levensverhalen lezen van mensen die je inspireren en die je persoonlijke kracht aanwakkeren, de balans versterken tussen werk en privé, advies vragen als je niet tevreden bent met je werk

Hartchakra

Fysieke locatie: midden van de borstkas, op gelijke afstand van de tepels
Kleur: grasgroen
Toonhoogte: f

Klank: wind
Geur: roos
Element: lucht
Smaak: broccoli, courgettes, groene appels, spinazie, sla, kiwi's
Organen/lichaamssystemen: hart, bloedsomloop, bioritmes, lage luchtwegen, schouders, onderste monnikskapspieren
Overtuiging: 'ik ben liefde'
Innerlijke expressie: centrum van je emoties, vermogen om liefde te ontvangen en anderen onvoorwaardelijk lief te hebben, zelfliefde, compassie, vriendelijkheid
Uiterlijke expressie: anderen en jezelf vergeven, vrijwilligerswerk doen, compassie hebben met mensen om je heen, romantisch expressiever zijn, meer echte hartsverbindingen aangaan met vrienden en geliefden, accepteren dat alle mensen anders zijn en compassie en acceptatie verdienen, dagelijkse gewoontes creëren die overeenkomen met de natuurlijke ritmes van je lichaam

Keelchakra

Fysieke locatie: op je hals, tussen je sleutelbeen en je strottenhoofd
Kleur: turquoise
Muzikale toonhoogte: g
Klank: krekels
Geur: munt, eucalyptus
Element: ether
Smaak: gewone munt, kruizemunt, kruidenthee, aubergines, bosbessen, blauwe mais
Organen/lichaamssystemen: schildklier, halswervels, keel, hoge luchtwegen, onderkaak, slokdarm
Overtuiging: 'ik ben de waarheid'
Innerlijke expressie: oprecht communiceren, schuldgevoel oplossen, een heldere expressie en eerlijkheid, op een evenwichtig manier de waarheid zeggen, waardering hebben voor hogere vormen van schoonheid en kunst, euforie en opwekkende gevoelens ervaren

Uiterlijke expressie: spreken in het openbaar, zingen, chanten, je aansluiten bij een actieve groep geestverwanten, anderen aanmoedigen hun waarheid te verwoorden, leren luisteren naar mensen die een ander standpunt hebben, mensen schrijven of spreken om ruzies bij te leggen, leren te blijven ademen als je naar anderen luistert, leren negatieve stemmetjes het zwijgen op te leggen, niet toegeven aan manipulatie, regelmatig contact met hogere vormen van kunst, dagelijks affirmaties gebruiken

Derde-oogchakra

Fysieke locatie: midden van het voorhoofd, tussen de wenkbrauwen en vlak boven de neusbrug

Kleur: indigo

Toonhoogte: a

Klank: klokken

Geur: lavendel, geuren die je associeert met verwondering of reizen

Element: licht

Smaak: vasten

Organen/lichaamssystemen: neus, oren, ogen, hersenen (met name de pijnappelklier)

Overtuiging: 'ik vertrouw op mijn intuïtie'

Innerlijke expressie: intuïtie, wijsheid, vermogen om succesvolle tactieken te ontwikkelen, effectief problemen oplossen, creatief denken, verbeelding, visualisatie, mentale concentratie, scherp waarnemen, flexibele en open geest, vrijheid van conditionering, oorspronkelijke ideeën, dromen, onderbewuste geest, metafysische werkelijkheid

Uiterlijke expressie: intuïtie, gifstoffen weren uit je voeding, bewust leven om je op een holistische, allesomvattende manier te kunnen verbinden met het bestaan, niet op de automatische piloot vliegen, het elke dag een tijdje zonder elektronische apparaten stellen, leren een reactieve houding te veranderen in een evenwichtiger toestand, de lessen van het leven herkennen, jezelf en anderen toestaan de koers van persoonlijke intuïtie te volgen

Kruinchakra

Fysieke locatie: vlak boven je hoofd
Kleur: wit, violet
Toonhoogte: b
Klank: orgelmuziek
Geur: brandende bijenwaskaarsen, mirre, wierook
Element: alle elementen van het universum
Smaak: vasten
Organen/lichaamssystemen: hypothalamus, centrale zenuwstelsel
Overtuiging: 'ik ben die ik ben'
Innerlijke expressie: verbinding met het hogere zelf, het universum en de spirituele dimensie, verlichting, inspiratie, je intellect, je levensdoel, spiritualiteit, eenheid met de natuur, je één voelen met de ziel
Uiterlijke expressie: leven zonder drugs, iedere dag je dankbaarheid uiten, je verbinden met de natuur, mediteren, bovenbewust leven ten dienste van het menselijke Zelf en ter ere van Spirit, oorzaak en gevolg van je daden begrijpen, verantwoordelijkheid nemen voor jezelf en de wereld om je heen, het licht in anderen ontsteken, beheersing van het ego

De meridianen

We kunnen ons pas vrij en levendig voelen als we verbonden zijn met de energie van het nu. Helaas voelen velen zich gevangen in het verleden, of in beslag genomen door fantasieën over de toekomst. Het gevolg daarvan is dat we ons niet bewust verbinden met onze energie, maar vastzitten in een tijdslijn die we zelf bedacht hebben. Het is echter de tijd die ten dienste staat van onze energie, niet andersom. We kunnen alleen bewust leven en verantwoordelijkheid nemen voor onszelf en de mensen om ons heen, als we in het heden verankerd zijn.

Laten we dus het evenwicht herstellen en meester worden over het moment.

Een van de kernprincipes om verbonden te kunnen zijn met je levensenergie is dat je de energieën van verleden, heden en toekomst met elkaar in evenwicht brengt. De beste bondgenoten die we hebben om dat te bereiken, zijn de drie belangrijkste energiekanalen van de aura: *ida, pingala* en *sushumna*, zoals ze in het Sanskriet heten.

Net als de chakra's zijn de meridianen onzichtbaar. De chakra's bevinden zich op de routes van meridianen. Laten we deze drie meridianen kort bespreken.

Ida

Dit is de meridiaan van het verleden. Hij stroomt langs de linkerkant van de wervelkolom omhoog tot hij bij het derde oog de middenlijn kruist. De energie van de ida wordt geassocieerd met vrouwelijke energie, vreugde, emoties en moederlijke impulsen. De ida heeft een sterke verbinding met de maan, en wordt in sommige tradities daarom ook wel 'maanmeridiaan' genoemd.

De ida overheerst bij mensen die in het verleden leven, nostalgisch zijn, blijven stilstaan bij wat voorbij is en het heerlijk vinden om herinneringen op te halen aan hoe de dingen vroeger waren. Vreugde houdt zoals gezegd ook verband met deze meridiaan; het kan dus zijn dat mensen die sterk verlangen naar hoe het was, eigenlijk terugverlangen naar tijden die volgens hen gelukkiger waren. Dat maakt ze alleen wel ongevoelig voor de vreugde en de lichtheid van het huidige moment.

Als jouw stemming snel omslaat van vreugde of opwinding naar somberheid of melancholie, als je moeite hebt om gemotiveerd te blijven omdat alles je veel moeite kost, of als je intens kunt terugverlangen naar het verleden, dan heb je mogelijk een probleem met je ida.

Pingala

Dit is de meridiaan van de toekomst. Hij stroomt langs de rechterkant van de wervelkolom omhoog en gaat bij het derde oog over naar de linkerkant van de hersenen. De pingala wordt ook wel 'zonmeridiaan' genoemd en houdt verband met mannelijke energie, actie en plannen maken. Deze meridiaan overheerst bij mensen die in de toekomst leven en zichzelf voorhouden dat ze op een dag alles zullen bereiken wat hun nu nog niet lukt. Ze verspillen letterlijk hun leven aan wensdromen en hebben de mentaliteit van 'op een dag zal het gebeuren'.

Vanwege de nadruk op de toekomst houdt deze meridiaan verband met plannen maken. Te veel plannen maken en daardoor te veel nadruk leggen op de pingala, kan leiden tot uitputting van de ida. Als dat gebeurt, begint onze levensvreugde te verdwijnen en ontstaan irritatie en ontevredenheid. We ergeren ons aan andere mensen en kunnen om de kleinste dingen uit onze slof schieten.

Sushumna

Dit is de meridiaan van het heden, het nu, die in een rechte lijn omhoog langs het ruggenmerg naar het derde oog en het kruinchakra loopt. Het is onze middelste meridiaan, het kanaal van evenwicht en integratie.

De sushumna vertegenwoordigt een ruimte waarin we naar onze intuïtie kunnen luisteren, wat op zich al een belangrijke reden is om deze meridiaan te versterken. Onze intuïtie is het beste kompas op onze levensweg. In feite kun je pas een 'schepper' zijn als deze meridiaan 'overheerst', want dan heb je meesterschap over je energie en ben je bewust en volledig verbonden met je levenskracht.

De stroom van de sushumna wekt onze ziel tot leven en voert ons mee op onze spirituele ontwikkelingsweg. Hij helpt ons het evenwicht te vinden tussen de emotionele ida en de actiegerichte pingala, tussen onze vrouwelijke en onze mannelijke kant, en tussen ons ego en ons goddelijke zelf. De beroemde wisselende neusgatademhaling van de yogi's is bedoeld om de sushumna te activeren en deze drie meridianen in evenwicht te brengen.

2

Jouw energetische identiteit

Een belangrijke reden voor het gebrek aan gezondheid dat op dit moment epidemische vormen begint aan te nemen, is dat veel mensen het energetische aspect van hun lichaam niet begrijpen. Ze denken dat wat ze zien (hun vlees en bloed) alles is, en begrijpen niet dat het fysieke lichaam niet meer is dan het verdichte, zichtbare deel van een veel groter energielichaam, de aura.

Deze beperkte kijk op het lichaam is, zo heb ik uitgelegd, de belangrijkste oorzaak voor deze afname van onze gezondheid en ons welzijn. Onze aura is de levende sjabloon van ons fysieke lichaam, ons denken, onze emoties en ons leven als geheel. Als we onze gezondheid willen verbeteren, moeten we ons niet louter en alleen bezighouden met het fysieke aspect van ons Zelf. Ik zeg het heel vaak: de aura is de baas! In dit hoofdstuk kijken we naar wat jouw aura authentiek maakt, en naar jouw unieke energetische identiteit.

Wees je authentieke zelf

Voor nu is het belangrijk dat je begrijpt dat je – wil je je geheel en al kunnen inzetten voor een authentiek zelf – alle delen van jezelf moet erkennen. Zoals we eerder besproken hebben, is alles om ons heen, zichtbaar of onzichtbaar, in essentie een golf van energie. Die energie heeft een unieke trillingsfrequentie. Dit geldt ook voor je aura. Je kunt alleen tot bloei komen als je de authentieke trillingsfrequentie van je aura ontdekt en in stand houdt. Anders ervaar je geen resonantie met de vibratie van je leven.

Gebrek aan authenticiteit is een van de meest voorkomende oorzaken van energieverlies; het ondermijnt onze gezondheid en maakt dat we ons niet gelukkig voelen. Een van de pijlers van energetische hygiene is immers, zoals we al eerder aanstipten, dat je altijd je authentieke zelf kunt zijn. Als je niet bent afgestemd op de werkelijke stroom van jouw energie, trek je willekeurig allerlei andere energieën aan (waarvan sommige schadelijk zijn); je aura wordt dan overspoeld door de energetische trillingen die zich om je heen bevinden.

Dit leidt tot 'rommel' in je aura, die je vitaliteit aantast en ertoe kan leiden dat je verkeerde mensen aantrekt, dat je keuzes maakt die alleen voor anderen prettig zijn en dat je je onzichtbaar en kleurloos voelt. Sommige van mijn cliënten zeiden dat ze zich 'als een kurk op de golven' voelden – machteloos overgeleverd aan de grillen van het leven.

Authentiek leven kan beslist minder gemakkelijk zijn. Het vraagt namelijk van je dat je persoonlijk verantwoordelijkheid neemt voor je leven. Je kunt echter pas een schepper worden en je bevrijd voelen en gelukkig zijn, als je werkelijk jezelf bent. Bovendien is een authentieke aura altijd beter dan een aura die gekopieerd is van iemand anders, of een waarvan de energiestroom is afgebogen om het anderen naar de zin te maken. Oscar Wilde zei het al op zijn eigen scherpzinnige wijze: 'Wees jezelf, alle anderen zijn al bezet'. Het is voor mij als healer altijd een traktatie om een authentieke aura tegen te komen, want die heeft een fantastische uitstraling!

Het goede nieuws is dat wij allemaal geschapen zijn om te stralen. Ik zal je helpen om thuis te komen bij wie jij werkelijk bent.

Je energetische identiteit in ere herstellen

Een van de belangrijkste dingen die ik je in dit boek zal leren, is hoe je weer je authentieke zelf wordt en hoe je dit in stand houdt. Ik zal je dat tot in detail uitleggen, maar geef je nu alvast een paar richtlijnen: blijf trouw aan jouw unieke energetische identiteit en stem je leven, je omgeving, je sociale contacten en je beloftes af op jouw energetische trillingsfrequentie.

Als je eenmaal jouw energiegolf in ere hebt hersteld, zal die voor de rest van je leven je innerlijke referentiepunt zijn, en je sjabloon voor een leven dat authentiek is en overeenkomt met je ware zelf. Je bent dan in staat om alle lagen van je aura (met name de fysieke, emotionele en mentale) af te stemmen op jouw unieke trillingsfrequentie. Waarheid weerklinkt dan in heel je wezen.

Jouw persoonlijke ruimte

Persoonlijke ruimte beschouwen wij doorgaans als een fysieke of psychologische afstand tussen mensen in een sociale omgeving, bijvoorbeeld in de werk- of familiesfeer. Dit klopt ook grotendeels. Maar nu je je bewust bent van je aura, zul je merken dat jouw persoonlijke ruimte niet beperkt wordt door de grenzen van je fysieke lichaam, maar zich tot minstens een armlengte om je heen uitstrekt.

Wil je aura goed kunnen functioneren, dan moet je energie vrij kunnen stromen en zich naar buiten toe kunnen uitbreiden. Met andere woorden, je moet voldoende ademruimte hebben. Je persoonlijke ruimte fungeert ook als buffer tussen jouw energiesysteem en de energieën die om je heen wervelen. Je kunt die ruimte ook zien als een filter dat het je mogelijk maakt om goed met al die energieën om te gaan, en alleen die dingen binnen te laten die goed voor je aura zijn en jouw welzijn dienen.

Ik weet zeker dat velen van jullie soms hevig en bijna letterlijk verlangd hebben naar eigen ruimte! Misschien dacht je dat je gewoon even rust nodig had om tot jezelf te komen, maar in werkelijkheid ging je aura gebukt onder de last van onverwerkte energieën. Ons levenstempo is in veel gevallen enorm opgeschroefd. Er wordt steeds meer van ons gevraagd en we beschikken eenvoudig niet over de tijd of de middelen om alles te verwerken wat er in het leven op ons afkomt; denk aan werk, relaties en persoonlijke problemen. Dit leidt ertoe dat we ons alleen op ons gemak voelen als we onze persoonlijke ruimte delen met mensen die op dezelfde golflengte zitten als wijzelf. Als we met hen omgaan en nauw contact met hen hebben, voelt het goed.

Er ontstaan echter problemen als wij onze eigen unieke trillingsfrequentie niet kennen en willekeurig mensen aantrekken; hun aanwezigheid kan dan aanvoelen als een overweldigende inbreuk. We zijn dan als een spons die alles uit de omgeving opzuigt.

Als je gezond wilt blijven, is zorg dragen voor je persoonlijke ruimte van het grootste belang. Als je je persoonlijke ruimte verwaarloost, ondermijn je steeds opnieuw je pogingen om gezonder te worden. We moeten allemaal leren om onze persoonlijke ruimte te respecteren, want als die geblokkeerd raakt of afwezig is, ontstaat er een broedplek voor energetische ziekteverwekkers, wat een nadelig effect heeft op ons leven. Hier kom ik later nog op terug.

Door het boek heen zal ik je enkele heel effectieve tools geven voor het reinigen en herstellen van je persoonlijke ruimte. Eenmaal in ere hersteld, is die ruimte je belangrijkste primaire bescherming tegen negatieve beïnvloeding en energetische overbelasting.

Culturele verschillen

Hoewel we deze ademruimte allemaal nodig hebben, is het goed je te realiseren dat elk land en elke cultuur die ruimte anders opvat. Gedrag dat jij als een inbreuk op je persoonlijke ruimte ervaart, kan voor iemand uit een andere cultuur heel normaal zijn.

Mensen uit Latijns-Amerikaanse en Zuid-Europese landen staan doorgaans op veel geringere afstand van elkaar dan mensen uit Noord-Europa en de Verenigde Staten. Rusland is ook een land waar de mensen het prima vinden om dicht in elkaars buurt te zijn.

Oordeel dus niet te snel als mensen jouw persoonlijke ruimte binnendringen, maar vraag je eerst af wat hun culturele achtergrond is; het is goed mogelijk dat de lichamelijke nabijheid waar jij moeite mee hebt, in hun ogen volkomen acceptabel is. Omgekeerd, als iemand jou vraagt om wat aan de kant te gaan, dan heeft die persoon vanwege zijn of haar culturele achtergrond misschien meer persoonlijke ruimte nodig dan jij. En als iemand jou afstandelijk vindt, kan dat te wijten zijn aan jouw opvoeding. We zijn allemaal verschillend.

De essentiële aspecten van gezondheid

Zoals je inmiddels wel begrepen hebt, kun je pas echt gezond worden als je in je benadering zowel de fysieke als de energetische aspecten van je wezen betrekt. Deze twee zijn met elkaar verweven; ze vormen een onverbrekelijke eenheid.

Het is zelfs zo dat ik pas na jarenlange ervaring ben gaan begrijpen dat je nog een stap verder moet gaan, door een bewuste verbinding aan te gaan met je eigen energie. Daarmee bedoel ik dat je verantwoordelijkheid moet nemen voor je aura, en die leert gebruiken als de sjabloon voor je leven. Je moet jezelf een self-care-regime aanleren, gebaseerd op de volgende drie pijlers:

* energieverlies voorkomen;
* je unieke trillingsfrequentie in stand houden;
* je persoonlijke ruimte afbakenen.

Het feit dat wij het belang hiervan collectief over het hoofd zien, is de belangrijkste reden voor de gezondheidscrisis in de moderne wereld. Zoals ik eerder heb uitgelegd zitten wij – vanwege onze onwetendheid over de ons omringende onzichtbare wereld van energieën, en het feit dat we van gezondheid een consumptieartikel hebben gemaakt, in een vicieuze cirkel van gezond zijn, ondermijning van gezondheid, ziekte en pogingen om weer gezond te worden.

Ons innerlijke evenwicht is fragiel en wordt gemakkelijk verstoord door invloeden van binnenuit of van buitenaf. In het volgende deel van het boek help ik je ontdekken wat deze invloeden precies zijn, zodat je ze leert onderscheiden en de baas kunt worden. Ik zal ook uitleggen hoe je in harmonie kunt leven met je omgeving, je familie en je gezin.

Ik heb met jou als lezer hetzelfde doel als met mijn cliënten: ik wil je kennis laten maken met een ander niveau van gezondheid en welzijn waarvan je het bestaan niet voor mogelijk houdt. Op dat niveau wordt je aura gevoed, ben je je authentieke zelf en zorg je voor een veilige persoonlijke ruimte. Samen vormen zij de pijlers van een gezond en gelukkig leven.

DEEL II

Energie-uitwisseling tussen mensen: hoe het werkt en verrassingen

3

Gelijkgestemden

Nu je bekend bent met de basisconcepten van energie en het thema van dit boek, is het tijd om enkele uiterst opwindende inzichten met je te delen die ik opdeed na jarenlang gewerkt te hebben als energyhealer. Deze inzichten kunnen je leven totaal veranderen! Alleen al het tot je door laten dringen van wat ik je ga vertellen, kan grote veranderingen teweegbrengen in je leven.

Een heersende opvatting zegt dat mensen – om te kunnen voelen wat andere mensen ervaren – over een empathisch vermogen moeten beschikken, of over een bewuste bereidheid empathie te voelen. Ook is er veel geschreven over het vermogen van empathische personen om de vibraties van andere mensen op te pikken. Wat ik hier nu ga vertellen is revolutionair: wij zijn eigenlijk allemaal een soort mobiele telefoons die zich automatisch afstemmen op andere netwerken.

Synchrone golflengten

Dit is echter geen speciale gave, en het is ook geen aandoening (voor wie het zo wil zien) waar alleen uiterst gevoelige mensen last van hebben; iedereen kan zich afstemmen op een ander. Wij vangen de energie van anderen niet alleen op, we vinden ook gemakkelijk een gemeenschappelijke golflengte met anderen, om de eenvoudige reden dat dit deel uitmaakt van onze natuurlijke neiging om ons onderling af te stemmen op elkaar. Synchronisatie noemen we dat.

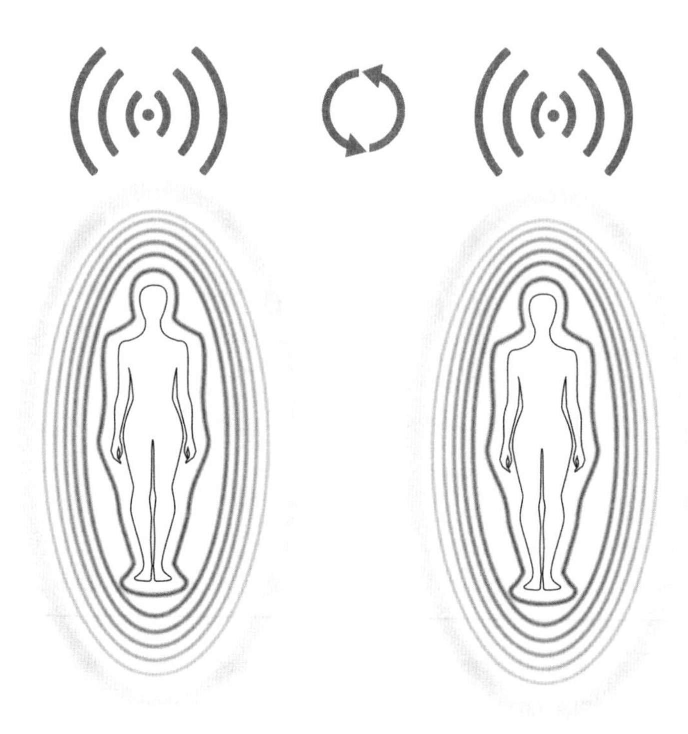

Synchronisatie van menselijke energieën

Deze synchronisatie maakt deel uit van je normale zijnstoestand; het is als het ware bij je ingebouwd. Je bent geboren met de neiging je af te stemmen op de trillingen en aura-energieën van andere mensen! Dit uiterst belangrijke inzicht vormt het belangrijkste basisprincipe waarvan ik uitga als ik mijn cliënten help om een duurzame gezondheid te bereiken.

Velen van jullie weten waarschijnlijk dat healers al duizenden jaren beweren dat mensen geen geïsoleerde wezens zijn en niet losstaan van de energieën van hun omgeving en andere organismen. Ik denk dat de beroemdste en meest populaire leer over dit onderwerp – ik noemde die in de inleiding al even – feng shui is. Feng shui leert ons hoe we de energieën van de ruimte om ons heen in harmonie kunnen brengen, met als doel de verbetering van ons welzijn en de kwaliteit van ons leven.

Onze vrienden- en kennissenkring maakt ook deel uit van onze omgeving, en onbewust passen we ons daar op de een of andere manier bij aan. Veel mensen zeggen bijvoorbeeld dat iemands enthousiasme aanstekelijk is, of dat ze iemands goede stemming oppikken. Op dezelfde manier weten we denk ik allemaal hoe het voelt om ergens te zijn waar een slechte sfeer heerst, of hoe het is om gedeprimeerd van een ander te raken.

Onbewust nemen we de tred over van een vriend die naast ons loopt, of het ritme van het applaus van het publiek waarvan we deel uitmaken. We zoeken voortdurend naar een gemeenschappelijke grond, zodat we harmonie kunnen ervaren met de mensen om ons heen en onze omgeving.

Het fascinerende is dat de moderne wetenschap, zoals we zo dadelijk zullen zien, inmiddels heeft bevestigd dat wij het aangeboren vermogen hebben om ons emotioneel, cognitief en fysiologisch op elkaar af te stemmen. Neurologen, linguïsten en biologen publiceren overtuigende bewijzen waaruit blijkt dat er sprake is van een natuurlijk optredende fysiologische synchroniciteit. Activiteiten van het lichaam die wij niet bewust kunnen beheersen, zoals onze hersenactiviteit, hartslag, zweetproductie en pupilverwijding, stemmen zich op elkaar af bij twee mensen die elkaar ontmoeten.

Dit levert een compleet nieuw paradigma op voor onze kijk op de omgang met andere mensen en onze omgeving. Dankzij deze kennis kun je beter begrijpen hoe het komt dat je in het verleden beïnvloed bent door de vibraties van andere mensen en niet je authentieke zelf bent geweest, en snap je ook waarom het zo belangrijk is om in een wereld vol energiegolven en vibraties goed voor je energetische hygiëne te zorgen.

Hoewel het niet mijn bedoeling is dat je je door deze ontdekkingen ongemakkelijk gaat voelen, wil ik benadrukken dat nu inmiddels wel duidelijk is geworden dat we zo met onze energie moeten omgaan dat we onze energetische identiteit behouden. Anders veranderen we in sponzen en absorberen we allerlei soorten energetische rommel uit onze omgeving, en wordt onze innerlijke toestand daar voortdurend door bepaald. In dit boek zal ik je laten zien hoe je verantwoordelijkheid neemt voor jouw energie en er zeggenschap over krijgt.

Wetenschappelijke feiten, geen fictie

Misschien geloof je niet dat je je voortdurend afstemt op de energie van anderen; mogelijk vind je dit meer iets voor een sciencefictionfilm. Ik zal je echter vertellen over fascinerende wetenschappelijke onderzoeken, die je zullen aanmoedigen je standpunt over wat er in het contact met andere mensen gebeurt te herzien.

Uit MRI-scans blijkt dat onze hersengolven samenhangen met die van andere mensen, ECG's maken duidelijk dat emotionele verbondenheid met anderen leidt tot synchronisatie van de hartslag, en bloedonderzoek wijst uit dat onze hormoonbalans beïnvloed kan worden door de hormonen van andere mensen. We kunnen er dus niet omheen: we functioneren niet zo autonoom als we altijd dachten en we zijn met elkaar verbonden door gezamenlijk voortgebrachte energiegolven.

Dit mag echter niet automatisch leiden tot verlies van onze energetische identiteit; we mogen onze unieke trillingsfrequentie niet laten overheersen door de golven van anderen. We kunnen en moeten onze energetische identiteit behouden. In elk contact is het van essentieel belang dat we ons bewust zijn van onszelf, zodat we erop kunnen vertrouwen dat we compleet zijn zoals we zijn, en gezonde grenzen kunnen stellen.

Als we dat niet doen, ontwikkelen we een codependente relatie met de energieën van anderen, zoals bijvoorbeeld gebeurt in destructieve romantische contacten. Er ontstaat dan een ongezonde versmelting met de aura-energie van de ander, en vatbaarheid voor toxische energie. Ons gevoel van tevredenheid en onze energetische identiteit hangen dan af van de emotionele en mentale toestand van iemand anders.

Laten we nu de wetenschappelijke bewijzen nader onderzoeken voor de banden die mensen onderling vormen en de synchronisatie die daarbij optreedt.

Het sociale dier

Mensen zijn sociale dieren; wij hebben het nodig om ons bij anderen thuis te voelen en ons verbonden te weten. Wij leven in groepen, of dat nu een gezin, een familie, een woongroep of een ruimer sociaal verband is, zoals een verband van collega's op kantoor. We zorgen jarenlang voor ons nageslacht en we werken met anderen samen. Bovenal vormen we langdurige relaties met andere individuele mensen – biologen spreken van 'langlopende pair-bonds'. Dat is een tamelijk formele beschrijving van wat wij gewoonlijk 'romantische relaties' noemen. Ik denk echter dat we soortgelijke banden ook aangaan met mensen uit een bredere sociale kring.

Pair-bonds

Volgens biologen vormen mensen twee soorten pair-bonds: sociale en seksuele. Een sociale pair-bond wordt gekenmerkt door een sterke gedragsmatige en psychologische band tussen twee mensen; hun verbinding gaat dieper dan die van kennissen. Er is echter geen sprake van seksuele chemie.

Bij een seksuele pair-bond is niet alleen sprake van een sterke gedragsmatige en psychologische band, maar ook van seksuele aantrekkingskracht, die zich doorgaans ontwikkelt tot een exclusieve seksuele relatie. Interessant is dat deze pair-bonds niet alleen bij mensen voorkomen, maar ook bij allerlei andere diersoorten.[1,2]

Pair-bonds met andere mensen hebben invloed op ons lichaam, omdat ze de productie bevorderen van verschillende neurotransmitters, waaronder oxytocine en dopamine. Oxytocine wordt ook wel het knuffelhormoon genoemd, omdat het onze emoties en ons sociale gedrag beïnvloedt. We maken dit hormoon bijvoorbeeld aan tijdens seks, en ook als we iemand omhelzen omdat we blij zijn die persoon te zien. Dopamine helpt bij de regulering van de belonings- en genotscentra in de hersenen, en heeft daardoor invloed op onze stemming.

Uiteraard zijn sommige pair-bonds gezonder dan andere. Als we een gezonde pair-bond met iemand hebben, voelen we ons goed als we bij de betreffende persoon zijn: je zou kunnen zeggen dat we met die persoon op dezelfde golflengte zitten, of dat we ons bij hem of haar gelukkig voelen. In biologische zin – en ik realiseer me dat dit nogal een klinische beschrijving is van wat er tussen twee mensen gebeurt – reguleert de ene persoon bij de andere persoon de productie van een scala aan neurotransmitters. Als je dus bij iemand bent die je een goed gevoel geeft, synchroniseert je lichaam zich biologisch met dat van de ander, op neurologisch en hormonaal niveau.

Gezonde en diepe banden met anderen reguleren via de biologische mechanismen van pair-bonding niet alleen ons hormoon en zenuwstelsel, ze voeden en ondersteunen ook onze aura. Als twee aura's met een overeenkomstige trillingsfrequentie zich met elkaar verbinden, heeft dat altijd een ondersteunend effect op beide personen. Het werkt levensverlengend en reguleert de hartslag en het ademhalingsritme (later in dit hoofdstuk meer hierover).

O, lieve kind

De allereerste relatie die wij hebben, is die met onze moeder, en die begint al in de baarmoeder. Na de bevalling is de eerste instinctieve reactie van veel vrouwen om hun pasgeborene vast te houden en diep in de ogen te kijken. Vaders doen dit natuurlijk ook als ze hun kind voor het eerst vasthouden.

Dit oogcontact is een instinctieve reactie op de komst van een nieuw familielid, maar tegelijkertijd is het bijzonder genoeg ook een gelegenheid voor de hersenen van ouder en kind om zich op elkaar af te stemmen, en veroorzaakt het een toename van neurale activiteit bij beiden. Een ander ouderlijk instinct is zingen voor je kind, of ermee praten terwijl je het in de ogen kijkt; ook dat stimuleert bij het kind de neurale activiteit. Het is zelfs zo dat een baby meer vocale geluiden maakt in reactie op een ouder die oogcontact maakt, dan op een ouder die dat niet doet.[3]

Dit is niet de enige vorm van synchronisatie die plaatsvindt. De hartritmes van moeder en kind stemmen zich ook op elkaar af, al binnen een seconde nadat ze samen zijn gaan spelen. Deze synchronisatie is nog sterker als de moeder ook tegen het kind praat.[4]

De hechtingstheorie

Deze theorie is in de jaren vijftig ontwikkeld door John Bowlby, een Engelse psychiater, en Mary Ainsworth, een Amerikaanse psychologe, die uitgebreid onderzoek hebben gedaan naar de band tussen moeder en kind. Ze ontdekten dat als de moeder om welke reden ook niet beschikbaar is, de primaire verzorg(st)er de moederrol vervult.

Bowlby en Ainsworth geloofden dat de kwaliteit van de band tussen moeder en kind een fundamentele invloed heeft op de emotionele ontwikkeling van het kind, en dat daarmee de basis wordt gelegd voor de relaties die het kind later zal hebben, zijn vermogen om te reageren op de wereld en de ontwikkeling van zijn persoonlijkheid.[5]

Als er een baby geboren wordt, reguleren de volwassenen die hem verzorgen zijn leven door hem te voeden, te knuffelen en met hem te praten. In dit stadium kan een baby diepe emoties ervaren en laten zien. Hij heeft echter nog geen controle over hoe hij zijn emoties uit, zoals je ongetwijfeld weet als je ooit bij een baby in de buurt bent geweest die huilt omdat hij honger heeft, of schreeuwt omdat hij een woedeaanval heeft. Als de baby een betrouwbare en intieme band heeft met een liefdevolle persoon, doorgaans zijn moeder, zal hij leren hoe hij zijn emoties moet reguleren.

De moeder stemt zich af op de fysieke en emotionele behoeften van haar baby, reageert op die behoeften en zorgt zo voor een gezonde hechting. Als de moeder echter niet volledig betrokken is bij haar kind en er niet goed mee communiceert, als ze onbetrouwbaar is of in beslag genomen wordt door andere dingen, dan ontstaat er een zogenoemde ongezonde hechting. Interessant is dat moeder en kind bij een gezonde hechting samen een bijna synchroon systeem vormen, en dat beiden positieve emoties ervaren. (Verderop in dit hoofdstuk gaan we dieper in op synchronisatie.)

Als de moeder of de belangrijkste verzorger niet voldoet aan de behoeften van de baby, raakt deze gedeprimeerd en wordt angstig, waardoor zijn hartslag, ademhalingsritme en bloeddruk toenemen; er ontstaat een kettingreactie waarbij er in de hersenen stresshormonen vrijkomen.[6] Als deze situatie aanhoudt, zal de baby zich afsluiten voor de buitenwereld en zich emotioneel terugtrekken, alsof hij onzichtbaar wil worden.[7] Als deze perioden van stress steeds terugkeren, wordt zich losmaken van de wereld voor het kind een onderdeel van zijn copingstrategie. Stressvolle perioden kunnen er zelfs toe leiden dat de hersenen van de baby zich in bepaalde opzichten niet goed ontwikkelen.[8]

Niet alleen baby's hebben baat bij een liefdevolle, veilige en betrouwbare relatie met de moeder; ook peuters hebben die nodig. Pas als ze vier jaar zijn raken kinderen vertrouwd met het gevoel dat ze gescheiden zijn van hun moeder.[9,10] Zelfs adolescenten vertrouwen op een gezonde hechting met hun moeder of verzorger, ook al zullen ze dat op hun leeftijd niet altijd laten zien; ze zijn tenslotte bezig te leren zich los te maken van hun gezin, om een onafhankelijk persoon te worden.

Denk niet dat bij een baby de vorming van een gezonde hechting geheel en al van de moeder afhangt. De vader of partner, broertjes, zusjes en andere leden van de familie, evenals de vrienden van de familie spelen hierin allemaal een belangrijke rol en helpen de baby (en later het kind) om emotionele banden aan te gaan en zich gesteund en geliefd te voelen.

De hechtingstheorie en de aura

De hechtingstheorie fascineert mij enorm omdat die zo goed past bij wat ik over onze aura weet, en ook goed aansluit bij mijn ervaringen met cliënten. In de baarmoeder slaapt ons eerste chakra nog en daarom verbinden we ons met het eerste chakra van onze moeder. Dat betekent dat de toestand waarin de energie van onze moeder verkeert, gezond of niet, tijdens de zwangerschap een grote invloed heeft op de ontwikkeling van onze aura.

Zodra na de bevalling de navelstreng wordt doorgesneden en deze verbinding met onze moeder wordt verbroken, wordt onmiddellijk ons basischakra geactiveerd. Er blijft echter een onzichtbaar 'energiekoord' bestaan tussen de heiligbeenchakra's van moeder en kind, totdat het kind negen of tien jaar oud is. Ik zeg vaak tegen mijn cliënten dat ze negen maanden zwanger zijn, maar dat ze daarna in spirituele zin nog negen of tien jaar zwanger blijven van hun kind. (Energiekoorden komen verderop uitgebreider aan de orde.)

Dit alles betekent dat wij als verzorgers extra zorg moeten besteden aan onze aura, omdat onze kinderen zich blijven afstemmen op onze trillingsfrequentie en op basis daarvan hun eigen aura ontwikkelen. Volgens de hechtingstheorie moeten we onze kinderen in een sociaal actieve omgeving plaatsen, zodat ze zich in een gezonde psychologische sfeer ontwikkelen. Hetzelfde geldt voor de energetische ontwikkeling van kinderen.

Deze afstemming en reactie op andere mensen en hun aura duurt ons hele leven voort. Als je in je jeugd een gezonde energetische omgeving hebt gehad, ben je voorbereid op een gezonde energetische uitwisseling met andere mensen.

Is er echter sprake geweest van een ongezonde hechting met je moeder, dan loop je (tenzij je je heel goed bewust bent van deze gevolgen en van je gedrag) het risico om terecht te komen in een toestand waarin je anderen ziet als een energetische prooi van wie jij energie kunt stelen. We zullen het later nog hebben over deze zogenaamde energiezuigers. Het kan ook zijn dat je juist naar de andere kant doorslaat: in plaats van een gezonde energiestroom van geven en nemen tot stand te brengen, probeer je het anderen voortdurend naar de zin te maken en offer je je energie op.

Verbindingen tussen hersenen

Wist je dat je hersenen rechtsreeks beïnvloed worden door wat je anderen ziet doen? Als je rustig en ontspannen ergens zit en naar iemand kijkt die druk bezig is, zou je denken dat je zelf passief bent. Maar er gebeurt iets heel anders.

Neurowetenschappers hebben bij mensen, apen en andere primaten de zogenaamde spiegelneuronen bestudeerd. Dit zijn cellen die actief worden als wij een bepaalde beweging uitvoeren, bijvoorbeeld onze arm uitstrekken om een kop thee op te pakken. Wat spiegelneuronen zo fascinerend maakt, is dat ze ook geactiveerd worden als we iemand anders die beweging zien maken. Dus als je je vriendin een kop thee ziet oppakken, waardoor haar spiegelneuronen geactiveerd worden, activeert dat ook de spiegelneuronen in jouw hersenen. Met andere woorden, jouw hersenen worden gesynchroniseerd met die van je vriendin.[11,12] Je hebt hier geen controle over, het gebeurt onbewust.

Mensen die in teamverband werken en allemaal doen waar ze goed in zijn, ervaren ook een soort van synchronisatie. Je kunt denk ik zeggen dat ze dan allemaal in dezelfde 'stroom' zitten. De belangrijkste delen en netwerken van de hersenen die daarbij betrokken zijn, laten patronen van zenuwactiviteit zien die in de hersenen van alle teamleden synchroon verlopen, zelfs als ze heel andere bewegingen maken. Deze synchronisatie zien we ook optreden in conversaties, zelfs als één persoon spreekt en de anderen luisteren.[13]

Onderzoekers hebben ontdekt dat deze vorm van synchronisatie in allerlei situaties kan optreden, bijvoorbeeld bij twee piloten in de cockpit[14] van een vliegtuig, of bij twee mensen die elkaar in de ogen staren.[15]

Nauwe banden

Als we zeggen dat we een openhartig gesprek met iemand hebben, of dat we iemand in ons hart dragen, kun je dat letterlijk opvatten. Ons hart verbindt zich daadwerkelijk met andere personen. Als we een diepe emotionele verbinding met iemand hebben, klopt ons hart synchroon met dat van de andere persoon.[16] Met andere woorden, onze harten synchroniseren, precies zoals in songteksten: *Two hearts beating as one.*

Hoe meer we iemand vertrouwen, hoe waarschijnlijker het is dat onze harten synchroon kloppen.[17] Als we met iemand een romantische relatie hebben, kunnen ons hart en onze ademhaling hetzelfde ritme aannemen, zelfs als we niet met elkaar praten of elkaar aanraken.[18,19] Dit is niet iets waarover wij zeggenschap hebben; het gebeurt uit zichzelf.

Fascinerend is dat er, als we diep met iemand verbonden zijn, nog meer fysieke effecten plaatsvinden waarover we geen bewuste controle hebben. Als je bijvoorbeeld luistert naar een vriend die je een verhaal vertelt en jij bent totaal betrokken bij wat hij zegt, dan zullen jullie pupillen zich gelijktijdig verwijden en vernauwen, al naargelang wat er wordt gezegd.[20]

Er gebeurt nog iets verbazingwekkends als je met iemand praat, ook als je geen persoonlijke band met die persoon hebt. Telkens als je terwijl je praat een bepaalde klank vormt, wordt er in je hersenen een klein gebied in de prefrontale cortex geactiveerd. Voor elke klank die je in jouw taal maakt, bestaat er zo'n gebied. Als jij praat, licht het overeenkomstige hersengebied ook bij de andere persoon op, ook als diegene zwijgt. Dankzij deze synchronisatie kunnen wij spraakgeluiden horen. Er zijn wetenschappers die beweren dat taal eigenlijk niets meer is dan een manier van onze hersenen om te synchroniseren.[21,22,23]

Heb je weleens gemerkt dat, als je met een goede vriendin praat, jullie dezelfde soort woorden gaan gebruiken, en dat jouw spreekritme gaat lijken op dat van haar? Dit wordt 'accommodatie' genoemd, en vindt niet alleen plaats tussen vrienden, maar telkens als we met iemand praten. Naarmate een gesprek vordert, gaan we met dezelfde snelheid en hetzelfde volume praten; we gaan op dezelfde manier dezelfde woorden gebruiken, en zelfs onze accenten gaan meer op elkaar lijken.[24,25]

Net als bij andere vormen van synchronisatie gebeurt dit niet opzettelijk en doorgaans zijn wij ons er ook niet van bewust. Niettemin gaat er een grote invloed van uit. Accommodatie zorgt ervoor dat we naar elkaar luisteren, dat we elkaar serieus nemen en zelfs dat we het met elkaar eens worden. Dit gebeurt allemaal zonder dat we daar erg in hebben.[26] Het is natuurlijk geweldig om zo met iemand overeen te stemmen, maar het verklaart tevens waarom we beïnvloed worden door wat mensen zeggen, zelfs als dat wat er gezegd wordt ons in eerste instantie niet interesseert.

Het zijn onze hormonen

Hormonen zijn chemische stofjes in je bloed die allerlei biologische functies regelen, waaronder je hersenactiviteit, je bloedsomloop, je ademhaling en je mate van alertheid en seksuele opwinding. Er is al langer bekend dat hormonen ook van invloed zijn op de hoeveelheid empathie die we voor anderen ervaren.

Maar hoe werkt dit nu precies? Het blijkt dat de mate waarin wij empathie ervaren beïnvloed wordt door een synchroon verlopende toe- en afname van het niveau van bepaalde hormonen in ons bloed. Na verloop van tijd gaan hormonale veranderingen synchroon lopen met die van de personen met wie we samenleven. Het is bijvoorbeeld bekend dat vrouwen die bij elkaar wonen, doorgaans in dezelfde periode van de maand ongesteld worden, door synchronisatie van hun cycli.

De synchrone toe- en afname van hormoonniveaus wordt deels veroorzaakt door de normale toe- en afnameprocessen gedurende de dag; daarnaast synchroniseren onze hormoonniveaus echter ook op andere manieren met die van een romantische partner. Zo hebben onderzoekers ontdekt dat als van een stel de een in een laboratorium in een stressvolle omgeving wordt geplaatst waardoor diens hormoonproductie toeneemt, bij de ander precies hetzelfde gebeurt, ook al bevindt die zich in een andere omgeving.[27]

Dierenmagie

Er is al veel onderzoek gedaan naar het positieve effect op onze bloeddruk van het knuffelen en aaien van huisdieren,[28] maar inmiddels weten we dat tijd doorbrengen met een geliefd huisdier ook goed is voor de productie van bepaalde hormonen. Recent onderzoek toont aan dat dit gebeurt in het contact tussen baas en hond, mits ze een goede band hebben. Als jij een hondenbezitter bent, zal dit vast geen verrassing voor je zijn!

Uit één onderzoek bleek dat als een hondengeleider met zijn hond deelneemt aan een race met obstakels, zowel de hond als zijn geleider op precies dezelfde momenten dezelfde toename van hormonen in het bloed laat zien.[29] Iets soortgelijks gebeurt bij therapiehonden en hun eigenaren, die voor een goed resultaat natuurlijk een heel nauwe band met elkaar moeten hebben. Als de eigenaar boos of gekwetst is, ervaart de hond (op zijn eigen manier) dezelfde emoties als zijn baas, dankzij synchronisatie van hun stemming en de daarmee samenhangende hormonen.[30]

In een andere studie werd het oxytocineniveau onderzocht bij honden die herenigd worden met hun baas als die na een dag werken thuiskomt. Als je zelf een hond hebt, weet je hoe opgetogen je hond op zo'n moment is. Hij wordt overspoeld door genot-opwekkende hormonen. Maar wat gebeurt er in jouw lichaam? In de studie werd onderzocht of het aaien of knuffelen bij thuiskomst bij ons de productie van oxytocine (het knuffelhormoon) ook stimuleert. Daaruit bleek dat vrouwen die hun hond terugzagen de grootste toename van oxytocine vertoonden. Het is nog niet duidelijk waarom dit zo is.[31]

Als jij een hond hebt, kus je hem dan? Zo ja, dan is het misschien interessant om te weten dat je daardoor je eigen oxytocineniveau verhoogt, tegelijk met dat van je hond. Dit lijkt misschien voor de hand te liggen als jullie genegenheid wederzijds is, maar er gebeurt meer. Er lijkt een correlatie te bestaan tussen de oxytocineniveaus van jou en je hond tijdens deze momenten.[32] Met andere woorden, jullie oxytocineniveaus zijn gesynchroniseerd.

Meer zintuigen dan je denkt

Sommige mensen twijfelen aan mijn vermogen om het menselijke energieveld te zien, omdat je daarvoor meer zintuigen nodig hebt dan de vijf bekende van gezicht, gehoor, reuk, tast en smaak. Laat me je verrassen: met een simpele oefening zal ik bewijzen dat je minstens één zintuig meer hebt dan de vijf die je altijd dacht.

Ga prettig staan of zitten, sluit je ogen en raak dan met je pink het puntje van je neus aan. Vraag jezelf vervolgens af met welke van je vijf zintuigen je dat hebt klaargespeeld. Dankzij je tastvermogen kon je met je vinger je neus aanraken, maar wat leidde je vinger naar de juiste plek terwijl je ogen dicht waren en je dus niet kon zien wat je deed?

Het vermogen dat je hiervoor gebruikt, wordt proprioceptie genoemd. Dat is het vermogen van je lichaam om zijn positie, beweging en evenwicht waar te nemen, en dat gaat verder dan de vermogens van je vijf zintuigen. Dit soort voorbeelden bewijst dat je meer dan vijf zintuigen hebt, en moedigt je aan om je open te stellen voor de mogelijkheid dat er meer is dan we gewoonlijk denken.

De aura en het elektromagnetische veld

Ons lichaam en onze aura zijn elektromagnetisch van aard. De cellen van ons lichaam bestaan uit elektronen, protonen, neuronen en andere subatomaire deeltjes die, net als alles in het universum, voortdurend in trilling zijn. Door de trilling van deze deeltjes ontstaat er elektromagnetische straling, die het elektromagnetische veld genereert rondom ons lichaam.

Er gaan ook kleine elektrische stroompjes door ons lichaam, die ontstaan door de chemische reacties van onze normale lichaamsfuncties. Zenuwen bijvoorbeeld geven door middel van elektrische impulsen signalen door. De meeste biochemische reacties, van de spijsvertering tot en met hersenactiviteit, gaan gepaard met een herschikking van de geladen subatomaire deeltjes.

Ook je hart is elektrisch actief, zoals je op een elektrocardiogram kunt zien. Van onze schooltijd weten we nog dat elke elektrische stroom een magnetisch veld opwekt. Interessant is dan dat het elektrische veld van het hart een ongeveer zestig keer grotere amplitude heeft dan de elektrische activiteit van de hersenen.[33]

De ogen hebben het

Ik ben ervan overtuigd dat de wetenschap nog meer bewijzen zal vinden voor onze gevoeligheid voor elektromagnetische energie. Wij mensen kunnen licht bijvoorbeeld op meer dan één manier waarnemen. Meestal vertrouwen we alleen op onze visuele gevoeligheid voor licht. Het netvlies achter in het oog bevat twee soorten lichtgevoelige cellen – staafjes en kegeltjes –, die rechtstreeks reageren op elektromagnetische prikkels. De staafjes reageren op vorm en beweging, de kegeltjes op golflengte, of dat wat wij kleur noemen.

Het licht dat ons oog binnenkomt wordt door de staafjes en de kegeltjes omgezet in elektromagnetische signalen die via de optische zenuw aan de hersenen worden doorgegeven. Zo kunnen wij kleuren, vormen en bewegingen waarnemen. Wij ervaren dat als ons gezichtsvermogen.

Het netvlies van een mens bevat daarnaast nog lichtgevoelige cellen die *cryptochromen* worden genoemd. Bij blootstelling aan bepaalde golflengten van licht veranderen bepaalde proteïnen (*flavinen* genoemd) van structuur; zij hechten zich aan de cryptochromen, waardoor een chemische reactie ontstaat die uit zichzelf leidt tot de langzame opbouw van een chemische stof die *semiquinon* heet. Als er eenmaal voldoende semiquinon is gevormd, ontstaat er in de cryptochromen een elektrochemische reactie.

Nu wordt het interessant. De hersenen pikken deze reactie op en activeren verschillende proteïnen die van vitaal belang zijn voor de circadiaanse lichaamsritmes (dit zijn de fysieke, mentale en gedragsmatige ritmes, zoals die van de hartslag, het niveau van adrenaline en andere hormonen in het bloed, en de gevoeligheid van onze zenuwen) met een cyclus van grofweg 24 uur. Deze cycli worden geregeld door onze biologische klok en, zoals ik zojuist heb uitgelegd, sommige daarvan worden beïnvloed door de activiteit van de cryptochromen in onze ogen.

Met andere woorden, onze ogen 'zien' de tijd van de dag dankzij de subtiele lichtgevoelige cellen in onze ogen, en het gezichtsvermogen. Als je ooit hebt meegemaakt dat je klaarwakker was nadat je de hele avond achter je computer had gezeten, dan kwam dat door het blauwe licht dat het scherm uitstraalt. Door dat licht raakt je biologische klok in de war; die denkt dat het dag is in plaats van bedtijd!

Niet alleen mensen hebben cryptochromen in hun ogen, je vindt ze ook in de ogen van vogels, bijvoorbeeld roodborstjes. Het cryptochroomproteïne van deze vogels reageert onder invloed van blauw licht met een molecule, genaamd *flavine adenine dinucleotide* (FAD). Vogels en mensen reageren dus op een vergelijkbare manier op het magnetische veld van de aarde. Vogels maken hiervan gebruik om hun weg te vinden. De grote vraag is nu of de cryptochromen in onze ogen ons diezelfde mogelijkheid bieden.

Wij missen mogelijk de noodzakelijke elektrochemische verbindingen in onze hersenen om te 'lezen' wat de sensoren in onze ogen ons vertellen. Zouden wij die verbindingen wel hebben – en vergeet niet dat proprioceptie bewijst dat wij beschikken over opmerkelijke manieren om onze zintuigen te combineren! – dan zou dat erop kunnen wijzen dat wij onze eigen biomagnetische velden kunnen waarnemen en een aangeboren mogelijkheid hebben om magnetische lijnen te voelen. Er is nog veel wetenschappelijk onderzoek nodig voordat deze theorieën bewezen kunnen worden, maar er zijn aanwijzingen dat wij mensen, net als vogels, beschikken over meer dan één soort waarneming.

Resonantie en vibratie

Ik ga nu twee fundamentele wetten van het universum beschrijven. Als je eenmaal met deze wetten vertrouwd bent, kost het je geen moeite meer om te begrijpen (en te accepteren) dat alles in het universum onderling verbonden is. Als je nadenkt over hoe deze wetten samengaan, besef je dat alles op trillingsniveau met elkaar samenhangt.

De wet van vibratie

Deze universele wet houdt nauw verband met alles waarover ik je in dit boek vertel. De wet van vibratie zegt dat alle dingen in het universum (wij dus ook), teruggebracht tot hun basale vorm, bestaan uit louter energie. Het is deze energie die met verschillende frequenties trilt. Of, zoals de *Kybalion*, een geschrift over de hermetische filosofie zegt: 'Niets rust, alles is in beweging, alles trilt'.

Niet alleen materie trilt energetisch, ook elke gedachte, elke emotie, elk gevoel dat wij hebben, elk woord dat wij spreken en elke daad die wij doen of waartoe we de intentie voelen, draagt een energetische lading met een eigen trillingsfrequentie.

Als ik het over menselijke vibraties heb, ga ik uit van een formule:

gedachten + gevoelens + overtuigingen + daden + intenties = onze vibratie

Elk onderdeel van deze formule kan onze trillingsfrequentie verhogen, wat wij ervaren als een goede gezondheid, vreugde of verlichting, of kan die verlagen, wat wij ervaren als ziekte, rusteloosheid of een sombere stemming.

Als je controle wilt krijgen en verantwoordelijkheid wilt nemen voor je leven en je gezondheid, moet je je eigen vibraties en de trillingsfrequentie ervan leren kennen. Gezondheid, geluk en overvloed zijn toestanden met een hoge trillingsfrequentie; als je die wilt bereiken, moet je je trillingsfrequentie verhogen. Jouw specifieke vibraties fungeren als een magneet; als je dus zorgen of problemen hebt, trek je toxische energie aan en krijg je precies dat waar je bang voor bent.

Als je je richt op gedachten, gevoelens, daden en intenties die positief zijn en een hoge trillingsfrequentie hebben, zoals liefde, dankbaarheid en goedheid, dan verhoog je de trillingsfrequentie van je lichaam en maak je het in verschillende opzichten sterker. Richt je je daarentegen op negatieve emoties en zijnstoestanden met een lage trillingsfrequentie, zoals haat, angst of isolement, dan versterk je de resonantie daarvan in je lichaam, wat een schadelijke uitwerking op je heeft. Zoals Boeddha al zei: 'Wat je denkt, dat word je. Wat je voelt, dat trek je aan. Wat je je voorstelt, dat creëer je'.

Wat ook belangrijk is om hier te noemen, is dat wij allemaal onze eigen 'vibratiesradius' hebben. Mensen met een hoge trillingsfrequentie en een grote vibratieradius worden doorgaans charismatisch genoemd; in hun aanwezigheid voelen wij ons geïnspireerd en enthousiast. Verderop zal ik je uitleggen hoe je jezelf dagelijkse gewoontes kunt aanleren die een hoge trillingsfrequentie hebben, waardoor je je eigen vibraties kunt verbeteren.

De wet van resonantie

Misschien is het alweer een tijdje geleden dat je les hebt gehad in natuurkunde; hopelijk geeft dat wat ik je nu ga vertellen je meer inzicht in de energetische concepten in dit boek. Zoals je weet is niets in het universum vast; alles in de natuur, inclusief gedachten, gevoelens en daden, trilt met een bepaalde frequentie.

De wet van resonantie stelt dat, als een object trilt met een frequentie die ook de trillingsfrequentie is van een ander object, dit tweede object in een trillingsbeweging wordt gedwongen. In harmonie zijn met elkaar is dus meer dan alleen beeldspraak. In feite is het precies wat er op trillingsniveau gebeurt.

Het menselijk energieveld (de aura) en het fysieke lichaam gedragen zich als de snaren van een muziekinstrument: ze resoneren met interne en externe prikkels, vergelijkbaar met een stemvork. Die prikkels kunnen teweeggebracht worden door alles met een eigen trillingsfrequentie wat deel uitmaakt van een groter energieveld, zoals een persoon, een plaats of een voorwerp. Alles in het universum heeft een eigen 'energieafdruk', met een unieke trillingsbeweging en een specifieke trillingsfrequentie.

Onze energie past zich aan bij, of resoneert met externe prikkels (andere mensen, onze omgeving of invloeden van buiten in het algemeen). We kunnen die ervaren als niet bij ons passend, maar ze kunnen ook resoneren met onze unieke trillingsfrequentie, waardoor wij ons er juist geweldig bij voelen.

Voor onze gezondheid is het van essentieel belang dat onze energie resoneert met onze authentieke trillingsfrequentie. Als dit het geval is, zeggen wij dat we met onszelf in harmonie zijn.

Onze verwanten vinden

Laten we nog even teruggaan naar het voorbeeld van een muziekinstrument. Als de snaren aangeslagen of getokkeld worden, ontstaan er vibraties die geluidsgolven veroorzaken. Dat gebeurt echter niet alleen bij snaarinstrumenten. Alles wat beweegt veroorzaakt golven.

Ik ga je nu iets fascinerends vertellen over hoe die golven zich gedragen als ze tegelijk op dezelfde plaats zijn. Als twee golven van dezelfde trillingsfrequentie zich in dezelfde richting verplaatsen en gelijk zijn aan elkaar, dan vormen ze samen een grotere golf. In de wetenschap wordt dit 'constructieve interferentie' genoemd. Als de twee golven daarentegen verschillen, omdat de ene omhoog gaat op het punt waar de andere naar beneden gaat, dan heffen ze elkaar op; dat wil zeggen: de golf wordt opgeheven. Dit noemt men 'destructieve interferentie'.

Het illustreert op een prachtige wijze mijn overtuiging dat het goed is om ons te omringen met mensen met wie wij ons kunnen verbinden, met wie we een klik hebben. Met andere woorden, dat we als een unieke golf van energie op zoek gaan naar verwanten. Als we hen vinden, zorgt de constructieve interferentie die daarvan het resultaat is ervoor dat we elkaar versterken. Het omgekeerde gebeurt als we bij mensen zijn die niet op onze golflengte zitten. In plaats van een positieve versterking ontstaat er dan een destructieve interferentie, die leidt tot een aanzienlijk zwakker energieveld.

Worden als een stemvork

Hier volgt een heel zinvolle meditatie om je te helpen nadenken over de trillingsfrequentie en vibraties die je uitzendt, en die afhankelijk zijn van je emotionele en mentale toestand. Het is misschien geen vleiend idee, maar ik vraag je je voor te stellen dat je een enorme stemvork bent. Zorg ervoor dat je niet gestoord wordt als je deze oefening doet.

Ga prettig zitten, op een stoel of in je favoriete meditatiehouding. Haal drie keer diep adem en voel hoe je ontspant. Sluit je ogen.

Stel je nu voor dat je een menselijke stemvork bent. Denk goed na over wat je in je leven aantrekt. Houd in gedachten dat alles wat je aantrekt sterker in jezelf wordt, en dat dit dan de vibraties vormt die je uitzendt. Oordeel niet over wat je hebt aangetrokken; observeer het alleen maar en maak er mentaal een notitie van.

Als je dit hebt gedaan, kun je aan een experiment van zeven dagen beginnen, waarin je iedere dag een korte meditatie doet en je aandacht richt op de ontwikkeling van een innerlijke toestand van liefde, dankbaarheid en vriendelijkheid. De energie van deze gevoelens heeft een hoge trillingsfrequentie en zal een overeenkomstig positief effect hebben op je vibraties.

Na zeven dagen kijk je wat er in je leven is veranderd. Nog beter is het om de veranderingen die je waarneemt op te schrijven, zodat je ze kunt teruglezen op momenten dat je er behoefte aan hebt jezelf te herinneren aan de kracht van je gedachten.

Als je deze meditatie prettig vond, kun je er natuurlijk mee doorgaan. Het kan het begin zijn van een dagelijkse manier om je energetische trillingsfrequentie te verhogen, of van een nieuwe gewoonte die je leven kan transformeren.

Ontvang je mij?

Energie uitzenden en ontvangen is iets wat wij allemaal voortdurend doen. Ons lichaam doet dit automatisch, op heel veel verschillende manieren, zoals je inmiddels begrepen hebt. Maar er gebeurt nog meer. Ook op emotioneel en mentaal niveau zenden en ontvangen wij voortdurend energie. Ook dat hoort bij het leven.

Zie het als de functies van een autoradio. Je stemt je autoradio af op een radiostation als je met je auto binnen het ontvangstbereik ervan komt. Verbaast het je om te horen dat jijzelf precies hetzelfde doet, steeds opnieuw? Je pikt voortdurend de vibraties op die je omringen, wat je ook doet. Of je nu thuis tv kijkt, aan het werk bent, je kind naar school brengt, met een vriendin zit te kletsen of een van al die andere dagelijkse dingetjes doet. De vibraties die je tegenkomt, worden naar jou toe uitgezonden, en jij zendt op jouw beurt jouw vibraties uit naar de wereld om je heen.

Zoals je wel graag naar de ene radiozender luistert, en een hekel hebt aan een andere, zo reageer je ook op de trillingsfrequenties die je door de dag heen oppikt. Sommige vind je onmiddellijk prettig en wil je toevoegen aan je denkbeeldige lijstje met favoriete zenders, terwijl je aan andere misschien eerst moet wennen.

Om nog even door te gaan op dit beeld van de autoradio: je houdt misschien van klassieke muziek, maar je radio stemt zich af op een hardrockstation. Je zou daar zelf niet voor gekozen hebben, maar je besluit om die muziek een kans te geven. Tot je verrassing kom je erachter dat je het toch wel mooie muziek vindt. Het kan echter ook zijn dat de rockmuziek op je zenuwen gaat werken vanwege de rauwe klanken, waardoor je innerlijk uit evenwicht raakt. Bij sommige stations die je ontvangt is het direct 'nee'; die schakel je zo snel mogelijk uit.

Een van de belangrijkste ideeën die ik aan je wil doorgeven, is dat we onszelf alleen zouden moeten afstemmen op datgene waarbij we ons prettig voelen. Het is natuurlijk goed om je grenzen een stukje te verleggen en te kijken of je waardering kunt krijgen voor iets wat je nog niet kent. Maar als je merkt dat het niets voor je is, moet je er gewoon aan voorbijgaan. Als dat onmogelijk is, moet je een manier zien te vinden om dat waar je je niet prettig bij voelt, niet binnen te laten komen.

4

Energetische vervuiling in je omgeving

Wij voelen alle energieën om ons heen, ook al zijn we ons daar niet van bewust. We voelen ons goed in de buurt van mensen met een bemoedigende energie, want daar krijgt onze energie een oppepper van. In hun aanwezigheid voelen we ons mogelijk gelukkiger en lichter, of optimistischer. Of het probleem waarmee je rondliep, voelt ineens niet meer aan als een last en je ziet mogelijkheden om het op te lossen.

Andersom werkt dit natuurlijk ook zo. Als we op straat een vijandig uitziend groepje mensen naderen en we haasten ons er voorbij, worden we toch door de energie ervan beïnvloed. Waarschijnlijk hebben we een lichamelijke reactie: je maag trekt samen in een knoop van angst, je nekharen gaan rechtop staan, of je hebt het gevoel dat je door deze mensen, die er zo dreigend uitzien, in de gaten wordt gehouden.

Als je ooit iemand hebt bezocht die ernstig ziek is, bijvoorbeeld in een ziekenhuis of en verzorgingstehuis, herinner je je misschien een bepaalde geraaktheid die moeilijk te verwoorden is. Misschien maakte je je zorgen over die persoon, en raakte het je hem of haar daar zo te zien. Dat is een heel natuurlijke reactie, maar daarna kostte het je moeite om dat gevoel weer kwijt te raken. Het was alsof die persoon je aankleefde – als witte hondenharen op een zwarte jas, of als een slechte nasmaak die je maar niet kwijtraakt – en het duurde een poosje voordat je je weer van die persoon had losgemaakt. Het kan ook zijn dat je nooit over die ervaring heen bent gekomen, en er soms nog last van hebt.

Hetzelfde kan gebeuren als je niet rechtstreeks betrokken bent bij wat je ziet. Heb je ooit meegemaakt dat je tranen voelde opkomen bij een verhaal op tv dat zich tragisch ontvouwt? Ben je ooit midden in de nacht wakker geworden met een raar gevoel in je maag en heel levendige herinneringen aan een heftige scène uit een boek dat je las voordat je het licht uitdeed? Heb je weleens urenlang in gedachten opnieuw de ruzie meegemaakt die je met je partner had, waardoor je de woede en de pijn in stand hield, die je gevoeld hebt in je machteloosheid om iets aan de situatie te doen?

Straks zal ik je verschillende manieren leren om beter met dit soort situaties om te gaan, zodat je je energie weer terugkrijgt en leert hoe je jezelf hier in de toekomst beter tegen kunt beschermen. Ik ga je ook vertellen welke aspecten in je leven energie van je afpakken, ook al ben je je er niet bewust van dat dit gebeurt.

Energetisch misbruik

Wij worden sterk beïnvloed door de energie van de mensen om ons heen. Helaas kan daardoor een vicieuze cirkel ontstaan die lijkt op wat ik eerder heb beschreven (ziek zijn, beter worden, opnieuw geïnfecteerd raken). Wederzijds energetisch misbruik is aan de orde van de dag. Hoe vaak kom jij bijvoorbeeld niet thuis van een zware dag op je werk en reageer je je frustratie, je zorgen of je boosheid (of alle drie) af op de mensen om je heen? Misschien viel je zomaar uit tegen je kinderen of je partner toen die je een eenvoudige vraag stelden.

Het kan ook zijn dat jij vaak slachtoffer bent van het slechte humeur van anderen; zo ontstaan de voorwaarden voor een knetterende ruzie of een scène waarbij een van jullie in tranen de kamer uit rent. Vervolgens valt je eten niet goed, omdat je nog steeds dermate geïrriteerd of boos bent dat je spijsvertering het eten niet goed aankan. Het lukt je gewoon niet om die rotdag of die vervelende gebeurtenissen te verwerken. En dit blijft zo doorgaan...

Ook dingen die we tegen onszelf of anderen zeggen om onszelf een houding te geven, kunnen een vorm van misbruik zijn, al beseffen we dat vaak niet. Wat mensen zoal tegen zichzelf zeggen zie ik als graffiti op de aura: de woorden worden als het ware over de hele aura gesprayd. Onze aura wordt door allerlei negatieve etiketten vervuild. Als we ons hier niet van bewust zijn, kunnen we de graffiti ook niet verwijderen. Ga je er aandacht aan besteden, dan zul je merken dat er overal in je aura graffiti aanwezig is: de woorden zijn je vertrouwd geworden.

Tv-programma's kunnen ook veel negativiteit bevatten. In veel docusoaps draait alles om de problemen waar mensen mee worstelen. Je weet ongetwijfeld waarover ik het heb: verhalen over hoe ongelukkig iemand is, welke bizarre ziekten iemand heeft opgelopen, wat voor afschuwelijks iemand is overkomen, of hoe mensen zijn vastgelopen in uitzichtloze situaties. Televisiedrama's en vooral speelfilms gaan vaak over angstaanjagende situaties waarin gevaarlijke of psychopathische personen iedereen om hen heen misbruiken. Vreemd eigenlijk, dat wij hier na een dag hard werken naar kijken, lekker weggekropen op de bank, en dit een geschikte manier vinden om te ontspannen!

Dikwijls merken we niet eens welke negatieve boodschappen deze films en tv-programma's naar ons uitzenden. We zijn er ongevoelig voor geworden, althans dat denken we. Onze aura vertelt ons echter een heel ander verhaal. Regelmatige blootstelling aan negativiteit zorgt ervoor dat onze aura een ongezonde, negatieve basis krijgt.

Op dezelfde manier is het ook niet goed voor onze gezondheid als we in ons hoofd voortdurend negatieve gebeurtenissen uit het verleden opnieuw beleven, of steeds oude problemen oprakelen. Wees extra alert als je geneigd bent om, zeker als je ziek bent, op deze manier de energie van het verleden te recyclen, want daarmee bevorder je beslist je eigen heling niet. Persoonlijk vind ik dit een sombere toestand om in te verkeren, vanwege de aanhoudende focus op het negatieve.

Negatieve bagage meedragen

Het verbaast mij telkens weer hoe sommigen van ons zich onderdompelen in negativiteit zonder dat door te hebben. Als je over straat loopt en in de hondenpoep trapt, dan laat je die geen minuut langer aan je schoen zitten dan nodig is. Evenmin bazuin je dit rond of laat het uitgebreid aan anderen zien. Waarschijnlijk ren je naar het eerste het beste plekje gras om de viezigheid van je schoen te vegen, of je schraapt die af aan de trottoirband. Vervolgens maak je zodra je de gelegenheid hebt je schoen grondig schoon en was je je handen. Je haalt alle hondenpoep weg, zodat alles weer schoon voelt en je er niets meer van ruikt.

Het is doorgaans een heel ander verhaal als we in de figuurlijke hondenpoep van iets negatiefs of ergerlijks stappen. In plaats van er alles aan te doen om daar zo snel mogelijk van af te komen, blijven we hangen in de geur van negativiteit. We gaan erover piekeren, of betrekken er andere mensen in en spelen het nare liedje keer op keer af in ons hoofd, in plaats van ons ervan los te maken, of iets te doen om de situatie te verbeteren.

Het zou beter zijn als we onszelf, telkens als we negatieve energie tegenkomen, zouden leren daar niet bij stil te blijven staan maar ons er op een positieve manier van los te maken. We voelen ons dan direct beter en gebruiken de negativiteit niet langer als excuus om onze emoties te ventileren tegenover de mensen om ons heen.

Begrijp alsjeblieft dat ik het hier heb over de alledaagse problemen die mensen met elkaar kunnen hebben: kleine wrijvingen, woordenwisselingen, misverstanden. Soms krijgen we te maken met echt moeilijke of verdrietige situaties, zoals een verbroken relatie of een partner die wegvalt. Die situaties kosten natuurlijk veel meer tijd om te verwerken en daarmee in het reine te komen. Toch zou zelfs dan de nadruk moeten liggen op het actief bewandelen van een weg naar heling van de pijn.

In deel V en VI leer ik je hoe je je van deze negatieve energieën bewust kunt worden, en je aura ertegen beschermt. Ik leer je ook manieren om je aura te reinigen van negatieve energie, als je het gevoel hebt dat die zich aan je gehecht heeft. Als je begrijpt welke schade deze negatieve energie je kan toebrengen, zul je beseffen dat dit niet iets is wat je in je aura met je mee wilt blijven dragen. Meestal gaat het daarbij niet om de gebeurtenis of emotie die ons raakt, maar om het feit dat we blijven nadenken over iets wat ons een naar gevoel geeft of boos maakt.

Ook is het van wezenlijk belang dat je verantwoordelijkheid neemt voor je eigen energie en hoe je daarmee omgaat. Zorg ervoor dat je je boosheid, je slechte stemming, je angst of je negativiteit niet doorgeeft aan anderen, want dan word je eerder deel van het probleem dan van de oplossing. Bovendien doe je daar anderen kwaad mee – je maakt 'passieve rokers' van hen. Ga liefdevol en zorgzaam om met de mensen in je omgeving en bescherm ze tegen die schadelijke dampen!

Energiedieven

Hier is iets heel belangrijks om over na te denken, want het is een van de meest voorkomende redenen waarom mensen hun gezondheid ondermijnen: voordat je onderzoekt hoe je je energie en je vitaliteit kunt verbeteren, moet je erachter komen op welke manier je je energie verliest. Anders stop je geld in een zak waar gaten in zitten.

Wij hebben de neiging ons te focussen op hoe we onze energievoorraad kunnen aanvullen en gaan daarbij voorbij aan de energielekken die we hebben. Welbeschouwd is het een beetje dom om erover te klagen dat je 'energiebank' leeg is, zonder je ooit af te vragen wie op welke manieren energie van je afpakken. Het is dus belangrijk dat je op zoek gaat naar de 'energiedieven' in je leven. Die kunnen allerlei vormen aannemen. Verbaas je er bovendien niet over als blijkt dat jij je eigen energiedief bent!

Als je een gezin hebt, zeg je nu vast in jezelf dat het logisch is dat je je voortdurend moe voelt, gelet op de optelsom van je veeleisende baan, het opvoeden van de kinderen en ze naar al die naschoolse activiteiten brengen, het zorgen voor voldoende inkomen, en – in de paar uurtjes per week die je dan nog overhoudt – het onderhouden van je sociale contacten.

Maar er kunnen ook andere redenen zijn voor een trage energie, of voor je neiging om op de bank in slaap te vallen en de boel de boel te laten. Veel van die redenen ken je niet eens. Misschien geef je veel van je energie weg aan iemand aan wie je je ergert, door in je hoofd voortdurend alles naar boven te halen wat jou aan die ander zo irriteert. Of je had een meningsverschil met iemand op social media, en loopt sindsdien rond met het gevoel van 'had ik dat maar anders gedaan'; telkens als je daaraan terugdenkt word je overvallen door angst en bezorgdheid.

Het kan ook zijn dat je je energie aan iemand hebt weggegeven uit medelijden. Wij geven dikwijls onze energie aan andere mensen als we met hen te doen hebben. Dat royale gebaar mogen we van onszelf nooit beperken, ook al zuigt die persoon ons misschien leeg. Wie steeds zo reageert op een dergelijke situatie en daar in zijn hoofd mee bezig blijft, verliest energie en ondermijnt zichzelf. Het op die manier weggeven van je energie is uitputtend voor je aura.

Vergeet niet dat het binnenlaten van een externe energie die niet resoneert met jouw unieke energetische identiteit, een negatief effect heeft op jezelf. Telkens als je iets doet wat ingaat tegen jouw innerlijke waarheid, beroof je jezelf van energie.

We gaan vaak met mensen om, of houden vriendschappen in stand terwijl hun energie allang niet meer resoneert met die van ons. Voor onze aura kan dat een kostbare gewoonte zijn. Je moet serieus gaan nadenken over je werkelijke, intuïtieve reacties op de mensen met wie je omgaat, zoals vrienden en familie. Vraag jezelf af welk effect het contact met hen op je heeft, welk gevoel ze je geven. Met behulp van de volgende oefening kun je je reacties op elk van je vrienden en familieleden analyseren; ik ben ervan overtuigd dat het heel veel kan verhelderen voor je. Neem hier dan ook rustig je tijd voor.

Nadenken over familie en vrienden

Neem voldoende tijd om ergens rustig te gaan zitten en deze oefening te doen. (Doe deze oefening niet als er iemand anders in de kamer is, want dan kun je de energie van die persoon oppikken, wat verwarrend kan werken.)

1. Begin met je vrienden. Stel je zo levendig mogelijk voor dat al je vrienden en vriendinnen een voor een naast je staan. Het is belangrijk dat je hierbij al je mentale oordelen achterwege laat. Plak dus

niemand een etiket van 'goed' of 'slecht' op, en denk er dus geen dingen bij als 'hij heeft zo veel voor me gedaan' of 'zij heeft al zo veel meegemaakt in haar leven'. Je gedachten gaan alleen over het hier-en-nu en over wat je op dit moment voelt.
2. Blijf aanwezig en luister naar wat je gevoel zegt; negeer je gedachten. Waar in je lichaam merk je reacties op bij deze persoon? Wat voor gevoel heb je bij ieder van hen? Eén vriendin geeft je bijvoorbeeld een tintelend en opgewonden gevoel in je borst als je ernaast staat, en je denkt er zelfs over om haar na deze oefening op te bellen, omdat je zo graag een praatje met haar maakt. Denkend aan een vriend merk je daarentegen dat je maag zich heel even omdraaide; je energie zakte weg, de grond in, toen je je herinnerde dat je binnenkort een afspraak met hem hebt. Wat vertelt dit alles jou over die persoon en je reactie op hem of haar?
3. Als je al je vrienden zo de revue hebt laten passeren, doe dan hetzelfde met je familie.

Probeer deze oefening zo kalm en rustig mogelijk te doen, zonder over iemand te oordelen. Je doet de oefening niet om iets te ontdekken wat niet deugt aan deze mensen, of om jezelf te herinneren aan vroegere conflicten. Het doel is juist om te ontdekken op welke manier ze jouw energie beïnvloeden op het moment dat je de oefening doet. Dat geeft je mogelijk ideeën om in de toekomst iets te veranderen in de relatie.

Het is niet voor niets dat ik schrijf: 'op het moment dat je de oefening doet'. Energie verandert voortdurend, dus is het nuttig om deze oefening regelmatig te herhalen. Dan houd je bij welke gevoelens je hebt en kun je je grenzen daaraan aanpassen. Je reactie op iemand kan bijvoorbeeld variëren, al naargelang jullie interactie of je gevoel op een bepaald moment, terwijl je op iemand anders steeds op dezelfde manier reageert, ongeacht de omstandigheden.

De oefening helpt je na te denken over de werkelijke toestand van je energetische verbinding met anderen, zodat je waar nodig aanpassingen kunt doen. Zie het maar als een 'vibratiecheck'.

Weet precies waarom je meer energie wilt hebben

Een andere reden waarom zo veel mensen, ondanks hun pogingen om daar iets aan te doen, lijden aan een chronisch energiegebrek, is dat ze diep vanbinnen niet weten waaróm ze zich beter willen voelen of meer energie willen hebben. Als mensen op deze vraag een eerlijk antwoord geven, staan ze vaak verbaasd over de mate waarin ze gedreven worden door angst. Ze zeggen bijvoorbeeld: 'Ik ben bang voor pijn en lijden'. Of, als ze op dit moment gezond zijn: 'Ik wil niet ziek worden'.

Mensen komen soms bij mij omdat ze een dierbaar persoon verloren hebben aan een chronische ziekte, en bang zijn dat hen hetzelfde overkomt. Anderen zijn halverwege hun leven en maken zich zorgen over de veroudering; ze zijn doodsbang dat het vanaf nu alleen nog maar bergafwaarts gaat. Sommige cliënten lezen in de media allerlei onheilsberichten over onze gezondheid; de ene week krijgen ze te horen dat bepaald voedsel goed voor hen is, en de andere week dat juist dit voedsel hun leven waarschijnlijk zal bekorten. Ze weten niet meer wat juist is, en geleidelijk aan beginnen ze te geloven dat de wereld een onveilige plek is, vol gevaren en dreigingen die je moet zien te vermijden.

Laat je motivatie positief zijn. Kies als reden dus liever voor gezondheid, dan voor ontkomen aan ziekte! Zoals we al besproken hebben, is angst een emotie met een dermate lage trillingsfrequentie dat hij vaak precies datgene aantrekt waar we bang voor zijn. Gezondheid en welzijn moeten een proactieve keus zijn.

Verander, maar nog niet direct

Ken je die mop over een man die tot God bad en zei: 'Alstublieft God, maak mij tot een goed mens, maar nu nog even niet'? Er zit humor in dit gebed, dat ons tegelijk duidelijk maakt dat je soms om een verandering kunt vragen, die je vanbinnen nog niet kunt accepteren.

Daar kunnen verschillende redenen voor zijn. Iemand bidt wanhopig om een mooier, slanker lichaam, maar wil tegelijk nog geen afstand doen van zijn kroegentochten en junkfood. Of iemand probeert een nieuwe liefdesrelatie aan te trekken, maar wil eigenlijk zijn vorige partner nog niet loslaten. Iemand anders vraagt om meer energie, maar wil tegelijk liever de hele dag in bed blijven liggen en tv kijken.

Er zijn talloze voorbeelden te geven van situaties waarin wij innerlijk verdeeld zijn tussen een wanhopig verlangen naar verandering, en de aarzeling om daar ruimte voor te maken. Je kunt geen verandering aantrekken vanuit de intentie dat die blijvend is, als je die tegelijkertijd uitstelt totdat het jou beter uitkomt. Als je dus wilt veranderen, wees er dan zeker van dat je dat echt *nú* wilt, en dat je er helemaal klaar voor bent.

Energieverspilling

Een andere factor die een rol kan spelen als je je niet lekker voelt, is een onbewuste gehechtheid aan energieblokkades of vermoeidheid. Deze dingen kunnen zo onlosmakelijk verbonden zijn met iemands identiteit, dat daarvan afstand doen onmogelijk wordt. In sommige gevallen gebruiken mensen gebrek aan vitaliteit als excuus voor alles wat er in hun leven misgaat. Hun blokkades fungeren als het ware als een buffer tussen henzelf en het leven, of een manier om meer liefde en aandacht van anderen te krijgen.

Andere mensen gebruiken hun vermoeidheid om aan hun problemen te ontsnappen, wat eigenlijk een gesublimeerd verlangen is om zelf te verdwijnen. Ze verdoven zichzelf op een aangename manier, zodat ze op emotioneel en mentaal niveau bijna niets meer hoeven te voelen. Als wij te veel omgaan met iemand in zo'n toestand, worden wij zelf ook nog maar deels opgeladen met energie. Als we iemand proberen op te vrolijken en ergens voor te motiveren die juist baat heeft bij lethargie, worden we daar zelf apathisch of lusteloos van.

Sommige mensen doen steeds andere spirituele oefeningen. Ze zijn voortdurend op zoek naar het licht, maar geven zichzelf niet voldoende tijd om zich in één oefening te verdiepen. Die schuiven ze voortijdig aan de kant, om alweer op zoek te gaan naar iets nieuws. Ze mogen dan verlangen naar het licht, eigenlijk gedragen ze zich als een mol die zich aangetrokken voelt tot het duister. Op deze manier verspillen ze hun energie en komen ze terecht in een vicieuze cirkel; onbewust ondermijnen zij zichzelf door voor zichzelf te bewijzen dat het duister aangenamer is dan het licht. Maar telkens als ze zich terugtrekken neemt hun vermoeidheid verder toe.

Een andere veelvoorkomende vergissing ten slotte is dat we negatieve woorden kiezen om te proberen meer gezondheid en welzijn aan te trekken. Ons onderbewuste begrijpt echter niet wat wij met zo'n negatieve uitspraak bedoelen. Dus als we zeggen 'ik wil niet ziek worden' in plaats van 'ik wil gezond blijven', hoort het onderbewuste de woorden 'ziek worden' en richt het zich op juist die uitkomst. Op dezelfde manier pikt het onderbewuste uit de zin 'ik wil niet langer pijn lijden' de woorden 'pijn lijden' op, en zorgt het in de toekomst voor meer gelegenheden om pijn te lijden. Dus als je graag wilt loskomen uit je lethargie, hebben uitspraken als 'ik kies gezondheid' en 'ik voel me iedere dag beter' meer effect.

Neem na lezing van dit hoofdstuk even tijd om na te gaan of iets van wat ik erin beschreven heb op jou van toepassing is. Wees eerlijk naar jezelf! Denk altijd aan de volgende punten als je iets wilt veranderen in je leven:

* Ga na wat je huidige toestand je oplevert en hoeveel je erin investeert.
* Wees zo eerlijk mogelijk naar jezelf over de reden waarom je naar gezondheid streeft.
* Gebruik voor de affirmatie die je gebruikt om veranderingen teweeg te brengen altijd positieve bewoordingen.
* Laat jezelf niet leiden door angst.

De gezondheidssaboteurs

In de proloog heb ik het al even gehad over het concept van energetische ziekteverwekkers, die een toxisch effect hebben op onze aura en ons leven. In deel II heb je kennisgemaakt met de energiegolven en vibraties die ons omringen, en met de manier waarop onze persoonlijke vibraties zich daar van nature op afstemmen.

De toxische energetische ziekteverwekkers die we in het volgende deel van het boek bespreken, zijn in feite vibraties die veroorzaakt worden door de interferentie van energievelden die niet met elkaar overeenkomen. Deze vibraties manifesteren zich om te beginnen in onze persoonlijke omgeving, maar ze kunnen ook dieper doordringen in de lagen van onze aura en zelfs onze kern bereiken.

Ik gebruik het woord 'toxisch', omdat de energie van deze vibraties werkt als een vergif, gevaarlijk is voor onze levenskracht en ons welzijn kan aantasten. Zulke energetische ziekteverwekkers dringen door onze aura heen, verstoren onze energetische identiteit en beroven ons van de mogelijkheid om een authentiek leven te leiden. Overigens, alle ziekteverwekkers, zowel de biologische als de energetische, zijn parasieten die leven van de energie van hun gastheer. Willen we greep krijgen op de energieën in onze omgeving, wat van wezenlijk belang is voor de bescherming van onze gezondheid, dan moeten we deze onzichtbare wereld van energetische ziektekiemen dus blootleggen.

Omdat ik deze energetische ziekteverwekkers dankzij mijn gave kan 'zien', ben ik van mening dat ik jou mag vertellen wat ik onder de 'microscoop' van mijn handen allemaal ontdek. Ik heb niet de pretentie je hier een wetenschappelijke analyse te geven, maar ik weet wel dat ik, als ik deze kennis in mijn praktijk toepas, diepgaande resultaten bereik. Van mijn cliënten hoor ik terug dat hun kwaliteit van leven dankzij deze nieuwe inzichten een grote verbetering doormaakt.

Ik wil niet dat mensen net als onze voorouders ronddwalen in onwetendheid en lijden onder iets dat eenvoudig te voorkomen is. Ik hoop dat de wetenschap mijn hypotheses over energetische ziekteverwekkers en energetische uitwisseling tussen mensen uiteindelijk zal bevestigen. Maar voor het zover is, zul je het moeten doen met de informatie die ik je geef, en die gebaseerd is op mijn jarenlange ervaring als succesvol energyhealer.

In mijn werk met cliënten heeft het mij getroffen hoe groot de overeenkomsten zijn tussen de manier waarop biologische ziekteverwekkers – biologische bacteriën, virussen en schimmels – het fysieke lichaam binnendringen, en het mechanisme waardoor energetische ziektekiemen onze aura binnenkomen; ze zijn vrijwel identiek!

Interessant is dat wij zowel door toxische vibraties in onze omgeving aangetast kunnen worden, als door schadelijke vibraties die wij zelf veroorzaken in een van de lagen van onze aura. Dit is een belangrijk punt; meestal zijn we geneigd de oorzaak van negatieve energie buiten onszelf te zoeken. Zeggenschap krijgen over onze energie houdt altijd in dat we persoonlijk verantwoordelijkheid nemen. Dus voordat we met de vinger naar anderen wijzen en hun de schuld geven van onze problemen, moeten we eerst goed naar onszelf kijken en ontdekken welke toxische parasieten wij in onszelf meedragen en voeden.

Laten we dus een duik nemen in de fascinerende wereld van energetische ziekteverwekkers, die ik aanduid met 'aurabacteriën', 'auravirussen' en 'auraschimmels'.

DEEL III

Drie energetische ziekteverwekkers

5

Aurabacteriën

In dit hoofdstuk maak je kennis met aurabacteriën, maar voordat ik je vertel hoe die ontstaan en hoe ze onze aura binnenkomen, wil ik je uitleggen wat bacteriën zijn in de biologische betekenis. Bacteriën zijn eenvoudig micro-organismen, levende cellen die in allerlei omgevingen kunnen gedijen, zowel in als buiten het lichaam van mensen en andere levende wezens. Bacteriën kunnen prima leven zonder een gastheer. Ze kunnen zich ook zelfstandig voortplanten, maar daarvoor hebben ze wel specifieke omgevingsomstandigheden nodig, zoals levende of dode organismen.

Belangrijk om te onthouden bij bacteriën is dat ze onze cellen niet binnendringen en daar dus ook geen DNA achterlaten. Bacteriën zijn cellen die samenleven met onze cellen; ze gebruiken ons alleen als leefomgeving.

Wat zijn nu aurabacteriën? Dat zijn energetische vibraties die onze aura binnendringen, maar niets veranderen aan onze unieke trillingsfrequentie. Met andere woorden, ze wijzigen onze energetische identiteit niet om hun eigen energetische identiteit te kunnen projecteren. Ze consumeren alleen onze energiebronnen. Als gevolg daarvan raken wij uitgeput; onze gezondheid en ons welzijn gaan erop achteruit. In de meeste gevallen dringen aurabacteriën onze aura binnen via de emotionele laag.

Energiekoorden

Als wij iemand ontmoeten, vindt er zoals je inmiddels weet een ontmoeting plaats tussen de aura van die persoon en onze aura, en ontstaat er een gemeenschappelijk golf van energie. Onder voornamelijk gezonde omstandigheden zijn zulke golven vloeibaar, licht en vrijblijvend; ze maken het mogelijk dat de energieën tussen beide personen op een gelijkwaardige manier stromen, zonder dat een van de twee zich overheerst of gedwongen voelt.

Ik heb al uitgelegd dat sommige van deze energiegolven tijdelijk bestaan en fungeren als een overlevingsmechanisme, zoals in het geval van een gezonde relatie tussen moeder en kind. Helaas bestaan er ook golven die zonder meer parasitair en schadelijk van karakter zijn, waar de ander jou gebruikt als leefomgeving, net zoals een biologische bacterie dat doet. Dan worden de gemeenschappelijke energiegolven star en koordachtig, en verbinden ze die persoon aan jouw aura met de bedoeling jouw energie naar zich toe te trekken.

Energiekoorden in de chakra's

Dikwijls hechten deze ziekteverwekkende energiekoorden zich aan jou via je chakra's. Hieronder wordt beschreven wat de meest voorkomende manieren zijn waarop energiekoorden zich in de chakra's manifesteren.

Basischakra

Dit is het chakra voor overleving, dus als zich hier een energiekoord vormt, gaat het om iemand die jou nodig heeft om te overleven. Tussen ouder en kind is dit volkomen normaal natuurlijk, maar zo'n koord is niet zinvol bij twee mensen die een ongezonde verhouding hebben, bijvoorbeeld in een werksituatie waarbij de ene collega de energie en de ideeën van iemand anders gebruikt om zelf hogerop te komen.

Heiligbeenchakra

In dit chakra, het chakra van seksuele en emotionele intimiteit, kan een energiekoord ontstaan als iemand jou als seksobject ziet, in plaats van een persoon met eigenheid. Er kan zich hier ook een koord vormen als iemand volkomen afhankelijk is van jouw emotionele steun.

Zonnevlechtchakra

Als er in dit chakra, dat in het lichaam energie genereert, een energiekoord is, is het bijna alsof een persoon zich heeft aangesloten op de energievoorraden van een andere persoon, zich verbindt met de persona van die ander en zich zijn of haar imago toe-eigent.

Hartchakra

Mensen die een diepe liefde voor elkaar voelen, zullen een krachtig energiekoord hebben dat hun hartchakra's verbindt. Dit kan een heel mooie en positieve ervaring zijn, maar zoals voor alle dingen in het leven geldt, moeten we verantwoordelijkheid nemen voor wat dit met beide partijen doet. Zo'n verbinding kan heel positief en diep spiritueel zijn als beide personen hetzelfde voelen; maar in sommige gevallen vormt zich hier als gevolg van onbeantwoorde liefde een koord, en dringt de energie van de ene persoon zich op aan die van de andere.

Keelchakra

Schuldgevoel kan aanleiding zijn voor een sterk energiekoord via dit chakra. We kunnen dit zelfs bijna lichamelijk voelen; we noemen schuldgevoelens niet voor niets vaak 'verstikkend'. Een energiekoord via dit chakra kan ook betekenen dat een andere persoon te wanhopig is om met jou te communiceren. Ook opgedrongen woorden kunnen in dit chakra koorden vormen.

Derde-oogchakra

In dit chakra, dat helderziendheid en intuïtie bestuurt, vormen zich energiekoorden als de ene persoon niet kan ophouden met denken aan de andere. Er kunnen zich via dit chakra ook koorden vormen tussen vrienden of partners, bijvoorbeeld als de ene partij zich voortdurend afvraagt waaraan de andere denkt.

Kruinchakra

Het kruinchakra heerst over ware kennis. Als zich een energiekoord aan dit chakra hecht, kan het zijn dat iemand zijn of haar ideeën aan je wil opdringen, je iets wil laten doen, of je wil manipuleren. Uit sommige occulte scholen is bekend dat leraren bewust koorden creëren naar het kruinchakra van hun leerlingen, zodat die gehoorzaam en plichtsgetrouw zijn. Ook politici kunnen dit soort koorden vormen met het publiek, om de mening ervan te beheersen.

Andere soorten energiekoorden

Ik wil hier nog een paar dingen aan toevoegen. Als een stel uit elkaar gaat, zien de partners elkaar vaak niet meer. De liefdevolle gemeenschappelijke energiegolf tussen beiden verandert echter vaak in een star energiekoord dat, tenzij het bewust wordt doorgesneden, blijft bestaan. Dit geldt ook voor vriendschappen die verbroken worden, of voor andere nauwe relaties waaraan een eind komt.

Als je de koorden naar die andere persoon niet doorsnijdt, blijft er een energetische gehechtheid bestaan die kan leiden tot allerlei onevenwichtigheid op mentaal en emotioneel vlak, en een onvermogen om nieuwe relaties of vriendschappen aan te gaan. Je kunt het gevoel hebben dat die persoon nog steeds in jouw ruimte aanwezig is, en je bent niet in staat om je open te stellen voor iemand anders.

Als laatste wil ik iedereen die in de zorg werkt – artsen, therapeuten en verplegend personeel – ervoor waarschuwen dat je energiekoorden vormt met je cliënten als je niet goed je professionele grenzen bewaakt; een onderwerp waarop ik verderop nog dieper zal ingaan. Hiervan is met name sprake als je geneigd bent je voor je cliënten op te offeren, in plaats van ze alleen maar te helpen – dat is niet hetzelfde. Het gebeurt ook als je in een veeleisende omgeving werkt, waar cliënten hun vermogen om te overleven ophangen aan jou alleen. De waarschuwing geldt ook voor mensen die in een weeshuis werken.

Al deze beroepen dwingen grote bewondering af en mensen die dit werk doen zijn vaak ware helden; ik hoop alleen wel dat ze ook iets doen ten behoeve van hun eigen gezondheid en goed voor hun aura zorgen.

Beloften doen

We moeten goed opletten als we iemand iets beloven, vooral als we dat doen uit schuldgevoel, of omdat we denken dat we daartoe verplicht zijn. Als je een belofte doet, creëer je een heel sterke energetische band tussen jou en de persoon aan wie je de belofte doet, waardoor jouw levenskracht in de richting van die persoon zal worden getrokken.

Pas dus goed op voordat je iemand een belofte doet; voorkom dat je daarmee iemands redder of beschermer wordt. Om een voorbeeld te geven: als je een vriendin of geliefde belooft dat je altijd voor haar zult zorgen, plaats je jezelf in de rol van haar redder. Weet je zeker dat je die rol wilt? Het is natuurlijk prima als dat is wat je wilt, maar heel vaak doen we dit soort beloftes zonder te beseffen wat de gevolgen ervan zijn voor ons eigen energieveld.

6

Auravirussen

In tegenstelling tot bacteriën kunnen biologische virussen alleen overleven door levende cellen binnen te dringen. Ze hechten zich aan onze lichaamscellen, dringen die binnen en nemen de inwendige mechanismen ervan over. Het DNA van het virus overheerst daarna de cel, terwijl het DNA van de cel gedwongen wordt kopieën te produceren van de indringer. Je zou bijna kunnen zeggen dat de cellen gegijzeld worden!

Auravirussen zijn energievormen die door onze aura heen breken en zich binnen in ons nestelen. Anders dan aurabacteriën hebben virussen het vermogen om onze energetische identiteit te modificeren, en die aan te passen aan hun eigen energetische identiteit. Zo worden wij op existentieel niveau aangetast, op het niveau van onze identiteit.

Onze unieke trillingsfrequentie wordt onderworpen aan die van iemand anders, wat een authentiek leven onmogelijk maakt. Dikwijls vallen auravirussen ons tegelijk via verschillende lagen van onze aura aan. Het gaat daarbij vooral om krachtige, bevelende suggesties, die via de mentale laag binnenkomen. Van daaruit herprogrammeren ze onze auralagen, zodat die overeenkomen met de aard van de indringer, in plaats van met ons authentieke zelf. Dit gebeurt vaak via verbale uitwisseling.

Helaas vergeten we nogal eens dat elke gedachte die we hebben en elk woord dat we uitspreken een energetische lading draagt, met een bijbehorende trillingsfrequentie. Een voorbeeld van een auravirus is als je op een negatieve manier bejegend wordt. Denk aan een vernederende opmerking die iemand steeds weer tegen je maakt. Totdat jij uiteindelijk gaat geloven wat de ander zegt, en je je waardeloos voelt.

Dergelijke verbale etiketten hebben op den duur zo veel invloed op ons, dat ze onze programmering veranderen. Onze aura is dan als het ware gehackt: je leeft volgens het programma van iemand anders. Het resultaat is dat we dingen doen en zeggen met de bedoeling het die persoon naar de zin te maken, in plaats dat we ons authentieke zelf naar buiten brengen. Het kan ook zijn dat we onszelf heel langzaam, zonder het zelf op te merken, omvormen naar een zelfbeeld dat ons is opgedrongen. We zijn besmet met een auravirus!

Leven met je innerlijke trol

Hoe zit het nu met de negatieve boodschappen die we onszelf influisteren? Die zijn afkomstig van iemand die ik voor de grap weleens aanduid met onze 'innerlijke trol'. We gebruiken het woord 'trol' gewoonlijk voor mensen die het leuk vinden om onrust te zaaien via internet. Ze plaatsen hun provocerende berichten of agressieve opmerkingen op websites of social media-platforms vooral om reacties uit te lokken, en genieten van de discussies die daardoor ontstaan. Trollen houden enorm van deze aandacht en de chaos die ze veroorzaken.

Wat we doorgaans over het hoofd zien is hoe vaak we in onszelf voor trol spelen. Hoe vaak laten we onze aura niet gijzelen door innerlijke stemmetjes die ons bekritiseren, kleineren en onzeker maken? Dit is een veelvoorkomende oorzaak van de ondermijning van onze gezondheid van binnenuit die ik eerder in dit boek beschreven heb. Het is ook de reden waarom mensen er vaak niet in slagen blijvende resultaten te boeken met de verschillende therapievormen die ze proberen.

Het is dus erg belangrijk dat je innerlijke trol niet de touwtjes in handen krijgt. Lukt hem dat wel, dan zal hij je zelfvertrouwen ondermijnen en ervoor zorgen dat je aan jezelf gaat twijfelen. Hij fluistert je bijvoorbeeld in dat sommige dingen onmogelijk zijn. Of hij suggereert dat het je nooit zal lukken om iets voor elkaar te krijgen, en dat je het dus maar beter kunt opgeven. Er zijn bepaalde situaties – vooral die waarin je zelfvertrouwen op de proef wordt gesteld en je je kwetsbaar voelt – die de trol activeren en zijn stem versterken. Het is dus zaak om juist dan zelf de touwtjes in de hand te leren houden. Maak je geen zorgen, ik zal je verschillende manieren laten zien waarop je dit kunt doen.

Gevaarlijke metaforen

Het is nodig dat je manieren vindt om deze negatieve programmeringen uit te schakelen. Een daarvan is dat je kijkt naar wat je tegen jezelf zegt, en welk beeld van je leven je aan anderen laat zien. Dit is werkelijk belangrijk, want hoe je praat bepaalt hoe je leeft. De energie van woorden is meer verdicht dan die van gedachten, en heeft daarom een grote invloed op je leven.

Woorden en metaforen die onze aura beschadigen moeten we vermijden. Dikwijls beseffen we niet wat we zeggen, omdat de woorden en zinnen die we gebruiken ons zo vertrouwd zijn. En ook al zijn ze ons vertrouwd, dat betekent niet noodzakelijk dat we ons bewust zijn van hun diepere betekenis. Ze maken misschien deel uit van ons dagelijks spraakgebruik, maar dat wil niet zeggen dat ze onze aura niet kunnen beschadigen. Als we beschadigende metaforen gebruiken, creëren we in de mentale laag van onze aura starre sjablonen die onze aura inperken en van vorm doen veranderen.

Hieronder geef ik je een paar voorbeelden, maar er zijn er nog veel meer te bedenken. Misschien gebruik je er zelf een paar van of herken je ze van andere mensen:

* Daarvoor zou ik een moord begaan.
* Geen denken aan: over mijn lijk!
* Ik vind dit echt onverteerbaar.
* Alsof er een dolk in mijn rug werd gestoken.
* Ik word ziek van hem.
* Ik voel me gesloopt.
* Ik ben doodop.

* Ik kreeg een hartverzakking toen dat gebeurde.
* Als blikken konden doden...
* Hij heeft mijn hart gebroken.
* Na zo'n klus ben ik kapot.

Wij dénken dat we alleen maar beeldspraak gebruiken, maar eigenlijk geven we onze energie een opdracht. Ik heb al verteld dat het onderbewuste geen onderscheid maakt tussen beeldspraak en werkelijkheid. Dus als je zegt 'ik ben doodziek van mijn werk', creëer je daarmee een basis voor ziekte.

Het kan best een poosje duren voordat je dit soort zinnetjes uit je vocabulaire hebt verwijderd, vooral als ze zo ingesleten zijn dat je niet meer beseft wat je eigenlijk zegt. Het goede nieuws is dat het beslist mogelijk is om ze te schrappen. Zodra je je bewust wordt van de kracht van woorden, zul je merken dat je je ook bewuster wordt van wat je zegt; je gaat automatisch positievere woorden en zinnen gebruiken. Dit heeft een heilzaam effect op je aura en op je mentale en emotionele perspectief, en zal je persoonlijke vibratie een stuk sterker maken.

Verbale handboeien

Woorden en zinnen kunnen ook als handboeien fungeren. Als we dingen zeggen als 'ik zal nooit leren hoe ik dat voor elkaar krijg' of 'dat is onmogelijk', ontstaat er stagnatie in ons energiesysteem. Dit kunnen onschuldige zinnen lijken. Misschien denk je wel dat het gewoon iets feitelijks is als je zegt 'ik kan nu eenmaal geen ijzer met handen breken'. Toch kunnen dit soort zinnetjes je aura op dezelfde manier beschadigen als wanneer je negatief praat tegen jezelf.

Als je namelijk de diepere betekenis van 'ik kan geen' ontleedt, zie je dat je letterlijk verwoordt dat je niet gelooft in jezelf. Je denkt dat je ergens niet toe in staat bent, of dat je iets niet waard bent. Het kan natuurlijk zijn dat je ergens werkelijk niet toe in staat bent. Controleer alleen eerst of dit niet je normale manier van praten is geworden.

Het kan ook zijn dat je gelooft dat wat jij wilt niet belangrijk is; wat anderen willen gaat altijd voor, dus jij moet achteraan aansluiten. Hoe dan ook, dit zijn allemaal zinnetjes die functioneren als een virussen; ze veroorzaken ziekten die je aura slopen, en die ik aanduid met restrictie, inperking en gevangenschap.

We hebben allemaal onze eigen manieren om over deze dingen te struikelen. Het is dus een kwestie van ontdekken wat jouw eigen verbale zwakke punten zijn, en daar alert op zijn. Probeer positieve uitspraken te gebruiken, zoals 'Het is mijn intentie om...', 'Ik heb me voorgenomen om...', 'Ik heb besloten om...', 'Ik ben vastbesloten om...'. En spreek die niet alleen uit, maar geloof ook echt in wat je zegt!

Ik zeg dikwijls tegen mijn cliënten: 'Je kunt het. En als je een begin maakt, lukt het je ook'. Gebruik je woorden als vleugels, niet als handboeien.

Jezelf naar beneden halen

Iets negatiefs van jezelf benadrukken is een ander voorbeeld van de innerlijke trol in actie. Veel mensen maken zich bijvoorbeeld zorgen over hun uiterlijk, en met hun woordkeus versterken ze die zorgen onbewust. Het is zaak om voortdurend op je taalgebruik te letten en andere woorden te kiezen als je merkt dat je iets negatiefs hebt gezegd. In plaats van jezelf te vertellen: 'Ik ben zo dik dat ik nooit mooie kleren kan dragen', kun je ook iets anders proberen, bijvoorbeeld: 'Ik heb een andere maat' of 'Op dit moment staat een andere kleur mij beter'.

Iets anders waaraan velen zich schuldig maken, is ondermijning van onze intelligentie. Misschien heb je weleens een boek in handen gehad, gemerkt dat je de tekst heel ingewikkeld vond en gedacht: 'Tjonge, ik ben gewoon niet intelligent genoeg om dit te begrijpen'. Het lijkt of je alleen maar een grapje maakt, en iemand die naast je staat moet misschien ook wel lachen, maar bedenk dat je onderbewuste geen gevoel voor humor heeft; dat krijgt slechts de boodschap dat jij dom bent en van plan bent om dat te blijven.

Ten slotte wil ik wijzen op de veelvoorkomende neiging om een grapje te maken over leeftijd. Sommige mensen maken veel te vroeg grapjes over dat ze niet aantrekkelijk meer zijn, stramme ledematen hebben gekregen, of vergeetachtig zijn geworden. Ik wil je aanmoedigen die niet langer als grapjes te zien, maar als een schadelijke vorm van zelfprogrammering die energetisch van invloed op je is.

'Ik ben'

Het woord 'ik' is een heel krachtig woord, omdat het zo persoonlijk is. Als je 'ik' zegt praat je rechtstreeks over jezelf. Dat betekent dat je voorzichtig moet zijn met welke woorden je gebruikt na 'ik ben'. Probeer elk negatief of beperkend woord daarna te vermijden.

Soms krijg ik een cliënt die zegt: 'Help me alsjeblieft, want ik ben depressief'. Het lijkt misschien heel vanzelfsprekend om dit te zeggen, maar bedenk dat deze persoon zich vereenzelvigt met de depressie. Als je zegt dat je depressief bent, dan word je die toestand. Vereenzelvig je dus niet met je probleem en word niet je diagnose! Jij bent niet je ziekte.

In plaats van te zeggen 'ik ben depressief' kun je beter iets zeggen als 'ik zit in een depressieve fase'. Als je ongelukkig bent, zeg dan liever 'ik voel me verdrietig' dan 'ik ben verdrietig'. Ik weet zeker dat je zelf variaties op dit concept kunt bedenken, passend bij je eigen toestand. Overal geldt: gebruik wat je zegt om je huidige toestand te beschrijven, niet om jezelf te definiëren. Probeer uitspraken als 'ik deug nergens voor', 'ik ben dom', 'ik ben dik' te vermijden. Combinaties van 'ik ben' met een woord met een heel lage trillingsfrequentie zullen de vibraties van je aura niet ten goede komen en je gezondheid ernstig benadelen.

Je schaduw

'Een man die bezeten wordt door zijn eigen schaduw, staat altijd in zijn eigen licht en loopt altijd in zijn eigen valkuilen [...] en leeft onder zijn niveau'. Dit zijn woorden van de Zwitserse psychoanalyticus en grondlegger van de analytische psychologie Carl Gustav Jung. Hij is bekend van zijn uitspraken over de schaduw, die hij beschreef als de 'donkere kant' waarvan wij ons vaak niet bewust zijn. Deze donkere kant is werkelijk een belemmering voor het beste in onszelf. Hier verblijft volgens mij onze innerlijke trol.

Je kunt je schaduw zien als een lelijke versie van jezelf. Het is die kant van jezelf waarmee je je niet wilt vereenzelvigen en die je om verschillende redenen wegduwt naar je onderbewuste, vaak zonder daar erg in te hebben. Onze schaduw kan allerlei facetten hebben, overeenkomstig alle vormen van gedrag of van eigenschappen die we willen onderdrukken.

In plaats van te proberen greep te krijgen op iets in onszelf dat we niet de baas kunnen, geven velen er de voorkeur aan het weg te duwen en te doen alsof het er niet is. We denken dan misschien dat we er ook niets meer mee hóéven te doen. Zo'n verborgen deel kan echter nog steeds van zich laten horen. Het kan ongenadig, kritisch en weerbarstig zijn, en het kan ons er uiteindelijk zelfs toe brengen onszelf te ondermijnen en ons energieveld kapot te maken. Bovendien, hoe onbeduidender wij onszelf vinden en hoe meer we twijfelen aan ons innerlijk licht, hoe groter onze schaduw. Dit is de reden waarom ik er in het vorige hoofdstuk zo bij je op heb aangedrongen om kleinerende opmerkingen en beperkende overtuigingen over jezelf uit te bannen.

Vergeet niet dat wij allemaal een schaduw hebben; het is dus niet zo dat sommige mensen volmaakt zijn, en andere niet. De schaduw maakt deel uit van ons mens-zijn, en in plaats van hem te ontkennen, moeten we hem erkennen. Als we zuiver licht waren geweest, zouden we immers engelen zijn, geen mensen! We moeten het bestaan van onze schaduw en zijn 'trollenkracht' accepteren. Tegelijk moeten we niet vergeten dat we ons meesterschap niet mogen opgeven, dat we ons innerlijk licht moeten blijven voeden en dat we onze unieke trillingsfrequentie moeten blijven versterken.

Uiteraard kijk ik als healer naar onze schaduw. Ik geloof dat wij ons leven moeten wijden aan het aantrekken van meer licht, zodat licht de overheersende kracht wordt. Vergeet alsjeblieft niet dat het daarbij niet gaat om perfect zijn, maar om authentiek zijn. Je authentieke zelf zal altijd een krachtiger trillingsfrequentie uitzenden dan je perfecte zelf. Trouwens, mensen die proberen er perfect uit te zien, blijken juist een enorme onderdrukte schaduw te hebben, is mijn ervaring. Nogmaals, de beste manier om je schaduw te verminderen is dat je je unieke trillingsfrequentie versterkt en verhoogt. Probeer je niet te verstoppen voor je schaduw. Wees kieskeurig als het gaat om de innerlijke stemmetjes waarin je gelooft. Het gaat erom wat jouw drijvende kracht is en wie jij als bestuurder daarvan aanwijst.

In de Joodse folklore komt een mooi verhaal voor dat dit punt prachtig illustreert. De staart van een slang voerde een discussie met de kop van de slang. De staart beklaagde zich en zei: 'Jij bent altijd de baas. Jij gaat altijd eerst. En daar heb ik genoeg van!' De kop antwoordde: 'Prima, dan ga jij maar eerst'. Daarop leidde de blinde staart de slang naar een bosje vol doornstruiken, waardoor de huid van de slang werd opengehaald en hij tot bloedens toe werd verwond.

De vraag is nu: wie is hier fout bezig geweest? Was het de blinde staart? Of was het de kop, die zijn kracht weggaf aan een blinde? Het helpt als je je innerlijke trol beschouwt als je blinde staart. Hij kan blijven zeuren om de baas te mogen zijn, maar uiteindelijk zal hij je naar zelfdestructie leiden, en je levenskracht vernietigen.

Je verdient meer

Hoe vaak heb je mensen niet horen zeggen dat ze iets wat ze prachtig vinden niet waard zijn? Mogelijk zeg je dat ook weleens tegen jezelf, niet hardop misschien, maar je denkt het wel. Je denkt misschien dat dergelijke bescheidenheid een mens siert, maar de gevolgen ervan kunnen ernstig zijn. Weet je nog dat ik zei dat je onderbewuste geen gevoel voor humor heeft? Het heeft ook geen gevoel voor subtiliteit en bescheidenheid. Dus als jij denkt dat je iets niet waard bent, zal je innerlijke trol ervoor zorgen dat het buiten je bereik blijft.

Dit is de energie van armoede: innerlijk creëren we energetische armoede en we programmeren onszelf zo dat we die in de toekomst ook verwachten. Dit betekent dat we voortdurend in gebrek leven. We denken dat er niet genoeg is: niet genoeg liefde, niet genoeg geld, niet genoeg gezondheid of iets anders waarvan we denken dat we het niet waard zijn. Het kan zelfs zover gaan dat we denken dat als het iemand anders voor de wind gaat, het ons aan dingen moet ontbreken.

Elke keer dat we een slecht gevoel hebben als we geld uitgeven voor onszelf, hoe klein het bedrag ook is, stemmen we ons af op de energie van armoede. Dit draagt allemaal bij aan het gevoel dat we dingen niet verdienen of niet waard zijn. Dus als je weer eens geen geld hebt of bang bent om geld uit te geven, zeg dan niet: 'Ik kan me dit eigenlijk niet veroorloven'. Zeg in plaats daarvan iets als: 'Ik kies ervoor om dit nu niet te kopen'. Daarmee stuur je een positieve boodschap naar jezelf.

Het heiligbeenchakra beheerst het gevoel dat we het goede waard zijn. Als je vanuit een gevoel van gebrek opereert of de overtuiging hebt dat je geen recht hebt op het goede en het positieve, dan is het belangrijk om dit chakra te versterken.

Jezelf klein maken

Ben je weleens een telefoongesprek begonnen met de woorden: 'Hallo, ik ben het maar'? Zoiets lijkt heel normaal om te zeggen, nietwaar? Vooral als je je nauw verbonden voelt met de persoon die je opbelt. Er gebeurt alleen ook iets wat je niet doorhebt. In feite is hier je innerlijke trol aan het woord, en die heeft een duidelijke boodschap: 'Ik doe er niet toe', 'Ik ben onbelangrijk', 'Let maar niet op mij' en meer van dat soort boodschappen waarmee je jezelf naar beneden haalt.

Je kunt hier eenvoudig wat aan doen. Probeer eens te zeggen: 'Hallo, ik ben het!' Of kondig jezelf aan met je naam, of met iets anders dat daarvoor geschikt is. Houd echter op met woorden en zinnetjes te gebruiken die zeggen dat jij niet belangrijk bent of geen aandacht verdient.

Minder dan het beste

Een andere manier waarop wij onze innerlijke trol activeren, is genoegen nemen met minder dan het beste, ook als dat helemaal niet nodig is. Je eet bijvoorbeeld van borden die je niet mooi vindt en waar scherven af zijn, terwijl je je mooie borden alleen voor speciale gelegenheden gebruikt. Je drinkt wijn uit goedkope, dikke glazen, en de mooie bewaar je achter in de kast. Je gebruikt lelijk bestek; wegdoen en iets mooiers kopen betekent geldverspilling, denk je.

Misschien hangt er een prachtige jurk in je kast die je dolgraag zou dragen, maar je doet het niet; je wacht op die ene gelegenheid om hem aan te doen. Maar misschien komt er wel nooit een gelegenheid die speciaal genoeg is om die jurk te dragen, en hangt hij voorgoed in je kast. Uiteindelijk geef je hem weg, omdat hij uit de mode is geraakt. Je voelt je schuldig omdat je geld over de balk hebt gegooid. Misschien zit je tv te kijken op een bank die zo onprettig zit dat je er pijn in je rug van krijgt. Maar je blijft erop zitten, want je denkt dat het zonde is om een bank die nog jaren meekan weg te doen.

Ja, ook hierin laat onze innerlijke trol van zich horen. Hij vertelt ons dat het heden minder belangrijk is dan de toekomst. En dus waarderen wij het heden onvoldoende, want we denken dat het niets speciaals is. Maar we moeten het heden juist waarderen, want dat is het enige wat we ooit zullen hebben! Ga maar na: het verleden is voorbij en de toekomst is er nog niet – die komt ook nooit, en heet daarom juist 'toekomst'!

Het enige wat we hebben is het nu, dit moment. Daarom moeten we dit moment waarderen en het belang ervan zien. Als we het huidige moment niet omarmen, leven we ons leven als een generale repetitie voor iets dat beter of belangrijker is. Bovendien, je weet inmiddels dat je middelste meridiaan, die van het heden (de sushumna), van essentieel belang is als je authentiek wilt leven en het beste van wat je te bieden hebt naar buiten wilt brengen. Het heden bevrijdt je en schept in je leven ruimte voor nieuwe energie.

Alle beperkingen die je jezelf oplegt zijn voorbeelden van pogingen om de toekomst tot in detail te regelen. We kunnen daar zo druk mee zijn dat we nooit ten volle genieten van wat we om ons heen aantreffen. We moeten allemaal goed nadenken over waar en wanneer we ons gedragen als energetische paupers om een eind te kunnen maken aan dat gedrag.

Ik besef dat dit niet altijd eenvoudig is en dat we soms puur uit noodzaak dingen moeten verdragen, maar in heel veel situaties is er geen excuus voor de manieren waarop wij onszelf tekortdoen. Dit gedrag kan zo'n diep ingesleten gewoonte zijn geworden dat we ons er in eerste instantie niet eens bewust van zijn. Het lijkt dan of we in de gegeven omstandigheden een heel zinnige keus maken.

Bewustwording van wat we doen is de eerste stap naar verandering van onze gedachten en onze houding. Dit is een noodzakelijke stap als we geen energetische paupers willen zijn, en willen leren leven in het heden. In het heden kunnen we ons verbonden voelen met de bron van universele energie en trekken we overvloed aan. En dan wordt het leven magisch!

7
Auraschimmels

Biologisch gezien lijken schimmels erg op bacteriën, omdat beide ons als woonplaats uitkiezen: ze komen voor in de omgeving waarin wij leven, dringen ons lichaam binnen en onttrekken zo hun voeding aan ons. Schimmels zijn normaal gesproken groter en complexer dan bacteriën, maar hun schadelijke uitwerking is doorgaans minder ernstig, en ze ontwikkelen zich ook veel trager. Wij zijn vooral vatbaar voor schimmels als we uitgeput zijn en niet goed op onze voeding en onze hygiëne letten.

Ik vermoed dat je je afvraagt wat auraschimmels dan wel mogen zijn. Ze zijn het energetische equivalent van lichamelijke schimmels. Ook zij onttrekken hun voedsel aan ons, meestal op heel subtiele of onopvallende manieren. Mensen die ons gebruiken als bron van energie (die wij doorgaans 'energiezuigers' noemen) gedragen zich ongeveer zoals schimmels. Om te kunnen leven, zijn ze afhankelijk van ons energieveld.

Een ander voorbeeld van een auraschimmel is stagnerende energie in onze leefomgeving, een beetje zoals een schimmel die zich ongezien in een hoek van een kamer verspreidt. Een auraschimmel voedt zich met de energie van onze argumenten, duistere gedachten en negatieve emoties, en met ongezonde vibraties die wij mee naar huis brengen.

Energetische vervuiling in huis

Ik stel me voor dat je, zelfs als je je tot nu toe niet bewust was van de wereld van energieën, toch weleens gemerkt hebt dat het ene huis of gebouw een andere uitwerking op je had dan het andere. In sommige gebouwen voel je je prettig en licht, in andere voel je je onprettig en voelt de atmosfeer zwaar. Als we een kamer binnenkomen waar mensen zojuist ruzie of een conflict hebben gehad, zeggen we: 'De sfeer is hier om te snijden!' Daarmee verwoorden we precies dat we de energie van de kamer hebben opgepikt. Door het conflict of de woordenwisseling hangt er een verdichte en stagnerende energie in de ruimte.

Kamers en gebouwen kunnen de energie vasthouden die daar eerder in ontstaan is of tot expressie gekomen. Dat kan zowel positieve als negatieve energie zijn. Als we mediteren en ons over het algemeen gelukkig voelen, vult onze leefruimte zich met positieve energie. Maar als we ruzie maken, onze frustraties en woede over een rotdag ventileren en tegen elkaar schreeuwen, dan besmetten we diezelfde leefruimte met negatieve energie.

Als je niet vaak genoeg schoonmaakt of steeds rommel van buiten je huis binnenbrengt, dan verzamelen zich daar stof en vuil. Op energetisch niveau gaat het ook zo. Het feit dat de meesten van ons energetische vervuiling niet zien kunnen, wil niet zeggen dat die niet bestaat. Energetisch vuil verzamelt zich in hoeken en gaten, zoals stofpluizen en schimmels dat doen in huis.

De energie in je huis draagt ook de energetische afdruk van de vorige bewoner, zowel die van de persoon als van zijn of haar leven. Zonder het te beseffen betrekken we vaak een woning die energetisch vervuild is. De vorige bewoners hebben alles misschien professioneel laten reinigen, maar bijna niemand maakt zich druk over de neutralisering van de 'energetische voetafdrukken'.

Ik wil hierbij benadrukken dat alle energie in essentie de energie van licht is. Energie krijgt pas negatieve kenmerken als ze stagneert, zwaar wordt en een verlaagde trillingsfrequentie heeft. Onze aura richt zich altijd naar de energie van onze omgeving, en dat geldt in het bijzonder voor onze woonplek. Het is zelfs zo dat onze aura met onze woning omgaat als was die een deel van zichzelf, ofwel een deel van onze persoonlijke ruimte. Wij leven dus in symbiose met onze woning. Als je goed voor de energie van je woning zorgt, fungeert die voor jou als een veilige haven, als bescherming. De energie van je woning is ook rechtstreeks verbonden met je basischakra. Ik ben ervan overtuigd dat je basischakra niet goed kan functioneren als er geen goede uitwisseling van energie met je leefomgeving plaatsvindt.

Vanuit mijn ervaring als healer weet ik dat een verandering van energie in je leefomgeving soms al aanleiding kan zijn tot een diep helend proces. Het is ook belangrijk om een helende behandeling of ontgiftingskuur te beginnen met verbeteren en neutraliseren van de energie van je woning. In hoofdstuk 12, Veiligheidsmaatregelen, vind je adviezen en een oefening voor het reinigen van de energie van je woning.

Auraschimmels in je leven

Het kan soms lastig zijn om auraschimmels waar te nemen, vooral als ze zich vlak voor onze neus bevinden. Ik doel nu bijvoorbeeld op de muziek waar we naar luisteren, de boeken, tijdschriften en kranten die we lezen, de films en tv-programma's die we zien, de podcasts waar we naar luisteren, de blogs en vlogs die we volgen, de websites die we regelmatig bezoeken en allerlei andere aspecten van cultuur en media die iedere dag om onze aandacht vragen.

We moeten ons allemaal oefenen in aandacht geven aan en bewustwording van het beeld van onze werkelijkheid dat we met ons meedragen. Alleen zo kunnen we ontdekken welke rol de buitenwereld daarin speelt. Een goede vraag om aan jezelf te stellen is deze: Wat en wie laat ik in mijn leven toe, en van wie en wat weet ik zeker dat ik mij daar goed bij voel?

Let op waar je naar kijkt

Denk eens na over welke websites je graag bezoekt en welke daarvan slecht voor je zijn. Sommige mensen voelen zich geweldig op social media, terwijl andere dat een verderfelijke tijdverspilling vinden. Onderzoek hoe dit voor jou is, zodat je je er bewust van wordt als iets niet goed voor je is. Vervolgens kun je een bewuste beslissing nemen over het gebruik ervan, in plaats van blind in deze dingen mee te gaan en niet te beseffen welk effect ze op je hebben.

Laten we nog een stapje verder gaan. Het is ook belangrijk om na te denken over waar je op tv naar kijkt. Als je naar je favoriete soap kijkt, hoe voel je je dan na afloop? Misschien is het helemaal niet zo'n onschuldig tijdverdrijf. Heb je ervan genoten en had je na afloop een brede glimlach op je gezicht? Of voelde je je angstig, geïrriteerd of onrustig? Misschien val je na het zien van die soap wel uit tegen je partner of je kinderen, zonder te begrijpen waarom...; daarvoor voelde je je nog prima.

Ik suggereer niet dat je jezelf voortdurend moet omringen met zoetsappige programma's. Ik wil alleen maar benadrukken dat het goed is je bewust te zijn van waar je naar kijkt en wat dat met je doet. Als je kiest om iets te doen, is het goed om na te gaan wat het effect daarvan is op het beeld dat je hebt van de werkelijkheid. Als je bijvoorbeeld toch al een slecht humeur hebt, denk je dat je je dan beter zult gaan voelen als je een aangrijpende documentaire ziet? Of als je angstig bent, hoe voel je je dan als je naar een bloederige film over een gestoorde seriemoordenaar kijkt?

Sommigen van ons moeten er ook goed op letten dat ze hun unieke energetische identiteit behouden, in plaats van die te lenen van iemand anders. Er verschijnen regelmatig nieuwsberichten over mensen die dermate beïnvloed worden door een bepaald tv-programma, bijvoorbeeld een realityshow, dat ze zich veel te veel beginnen te vereenzelvigen met een personage daaruit.

En hoe zit het met de muziek waar je naar luistert? Wat is je gevoel bij sommige songteksten? Zijn dat positieve boodschappen voor jou, of beïnvloeden ze je ook weleens op andere manieren? Sommige songs kunnen auraschimmels zijn.

Vind je het mooi wat je ziet?

Kijk nu naar wat je thuis aan de muur hebt hangen, en naar de afbeelding op het bureaublad van je computer. Vind je het mooi wat je daar ziet? Geeft het je een goed gevoel? Als je schilderijen of foto's aan de muur hebt hangen die je eigenlijk niet zo mooi vindt of waar je misschien zelfs een onaangenaam gevoel bij krijgt, dan wordt het tijd die weg te halen en te vervangen door iets wat een positievere of neutrale uitwerking op je heeft.

Maak je niet druk als je niet kunt achterhalen waarom een bepaalde afbeelding je een slecht gevoel geeft; daar is misschien geen voor de hand liggende reden voor. Het kan zijn dat je de energie van de kunstenaar of de fotograaf oppikt, of de energie van het onderwerp, en dat die niet past bij die van jou.

Ik herinner me dat ik een keer op een tentoonstelling van de Franse impressionist Claude Monet was. Ik liep van de ene zaal naar de andere en kwam uiteindelijk bij zijn beroemde schilderijen van waterlelies terecht. Direct voelde ik daar een depressieve, verstikkende energie van uitgaan en ik moest daar weg. Ik kon niet zeggen waarom ik dat destijds zo voelde, want de andere bezoekers genoten van die schilderijen. Pas later kwam ik erachter dat Monet heel ongelukkig en depressief was toen hij zijn waterlelies schilderde. Het was deze negatieve energie die zich aan de schilderijen had gehecht en die ik had opgepikt.

Leer vertrouwen op je instinctieve reacties als het om kunst gaat, of het nu om schilderijen, beelden, boeken, muziek of iets anders gaat. Als iets je een onrustig of vervreemdend gevoel geeft of je ongelukkig maakt, heb je te maken met een auraschimmel in je energieveld. Geef die vooral niet de gelegenheid om zich in jouw omgeving te nestelen en te gaan groeien.

Energiezuigers

Zorg jij er voor je gaat slapen altijd voor dat deuren en ramen op slot zijn? En als je je auto parkeert, doe jij dan ook altijd het portier op slot zodra je bent uitgestapt? Hoe zit dit met je aura? We weten dat het dom is om rond te lopen met een open tas of een portemonnee die uit je broekzak steekt, maar waarschijnlijk beseffen we niet dat we ook onze aura moeten afsluiten en beschermen.

We zijn ons er niet altijd van bewust dat er mensen zijn die in plaats van naar onze tas of portemonnee naar onze aura grijpen. Telkens als ze dit doen, nemen ze iets weg dat veel waardevoller is dan alles wat we bezitten, omdat dit iets is dat we niet meer kunnen vervangen. Onze aura is buitengewoon waardevol!

Zulke mensen worden energiezuigers of -slurpers genoemd. De manier waarop ze te werk gaan is te vergelijken met die van een vampier.

Zoals je weet verwijst het woord 'vampier' doorgaans naar een kwaadaardig schepsel dat 's nachts bloed komt zuigen van zijn slachtoffers. Zelf ooit mens geweest, is een vampier na zijn dood veranderd in een gereanimeerd lijk, ook wel een 'levende zombie' genoemd.

Het zal je opluchten te horen dat energiezuigers natuurlijk geen zombies zijn, maar mensen die zich voeden ten koste van anderen, zoals parasieten. Soms trekken wij energiezuigers aan in ons leven door een hindernis die wij opwerpen in de mentale laag van onze aura. Zo'n blokkade is bijvoorbeeld de overtuiging dat we het niet waard zijn om succes te hebben. Ons schuldgevoel over het succes dat we niettemin hebben, trekt dan parasieten aan die dat succes ondermijnen. In zulke gevallen moeten we aan de slag met affirmaties, of met hulp van een psycholoog deze mentale blokkades en beperkende gedachtepatronen leren loslaten.

Hoe energiezuigers te werk gaan

Ik zal je straks een beschrijving geven van verschillende manieren waarop energiezuigers te werk kunnen gaan, maar eerst wil ik je uitleggen hoe ze op energetisch of auraniveau werken. Zoals ik in hoofdstuk 1 heb uitgelegd, heeft onze aura zeven belangrijke chakra's. Vijf daarvan hebben twee draaikolken, eentje aan de voorkant en eentje aan de achterkant. Het kruin- en basischakra wijken in dit opzicht af. Het kruinchakra is open naar boven en neemt energie op van het universum, het basischakra is open naar beneden en neemt energie op van de aarde.

De aura ontstaat uit de ontmoeting van twee krachten: die van de aarde en die van het universum. Bij die ontmoeting gaat het in essentie om een gezonde energie die ons voedt, net zoals gezond voedsel en schone lucht dat doen.

Soms echter raken we geblokkeerd en verliezen we het contact met onze oerbron van energie, bijvoorbeeld in geval van psychische trauma's, uitputting, destructieve emoties of ziekte. We krijgen energiegebrek en sluiten het zo belangrijke kruin- en basischakra. Deze chakra's zijn bedoeld om op een positieve manier energie op te nemen en het leven te bevorderen. Maar ze kunnen dus ook geblokkeerd raken, zoals een buis die verstopt is.

Omdat we hoe dan ook energie nodig hebben, proberen we in zo'n geval via een of meer van de vijf andere chakra's aan te haken bij andere levende wezens of onze omgeving. We halen geen energie meer uit de overvloedige oerbron, maar onttrekken die aan de reserves van anderen. Ik weet zeker dat je mensen kent die dit doen; als je bij ze bent, voel je je na afloop leeggezogen, terwijl zij vrolijk verdergaan! Soms voelen we dit onmiddellijk, soms merken we het pas na verloop van tijd.

Heel vaak zijn het de twijfelaars onder ons, degenen die dingen altijd zo lang mogelijk uitstellen of zich overgeven aan zinloos tijdverdrijf in plaats van iets productiefs te doen, die energiezuigers worden. Het lijkt alsof ze heel druk bezig zijn, maar niets van wat ze doen heeft een duidelijk doel. Bij henzelf zorgt dit voor een groot gebrek aan levenskracht, vandaar dat ze zichzelf op gang moeten houden met behulp van de energie van anderen.

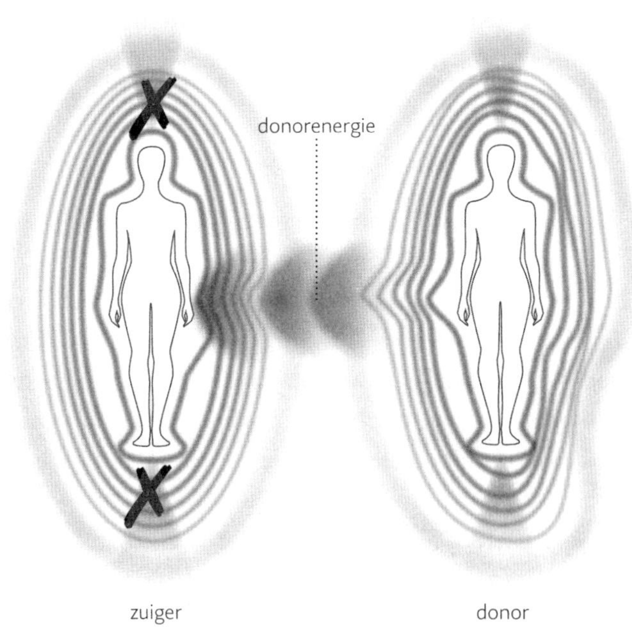

Auraverstoring bij een energiezuiger

Sommige mensen kiezen voor een leven op een heel lage trillingsfrequentie, en zijn bijna alleen aanwezig in hun lagere chakra's, ook wel het dierlijke zelf genoemd. Ze raken aan de alcohol of de drugs, gaan gokken of krijgen een andere verslaving. Achter een verslaving gaat altijd een trauma schuil, met de bijbehorende leegte. Verslaafden gebruiken alcohol, drugs of andere middelen om hun emoties en impulsen te reguleren en die leegte te vullen. Met betrekking tot dat waaraan ze verslaafd zijn, worden ze energiezuigers.

Willen mensen met succes afkicken van een verslaving, dan is het heel belangrijk dat ze zich niet focussen op de verslaving zelf, maar op het vullen van hun leegte met gezonde energie. Alleen zo kan een herhaling van gedrag voorkomen worden. Zolang dat niet lukt, zullen ze niet op zoek gaan naar eerlijke manieren om aan energie te komen. Ze blijven zoeken naar donoren met veel energie van wie ze een 'shot' kunnen krijgen (zie de afbeelding). Voor iemand die in deze toestand verkeert, betekent het op gezonde manieren leren verkrijgen van energie een heel grote gedragsverandering. Voor sommigen kan dat een te grote uitdaging zijn; zij zullen kiezen voor de gemakkelijke manier en zich vasthaken aan iemand anders.

Ben jij een energiezuiger?

Ons voeden met de energie van iemand anders is iets waartoe we af en toe allemaal in staat zijn. Het is beslist niet zo dat alle andere mensen energiezuigers zijn, en wij niet! Daarom wil ik je vragen om na te denken over de vraag waar en hoe jij je voedt met de energie van anderen, waardoor je ervoor zorgt dat je hen uitgeput of boos achterlaat.

Om vast te stellen of je geneigd bent tot energie zuigen, kun je jezelf een aantal vragen stellen. Net als elders in dit boek vraag ik je ook hierbij de moed te tonen om een eerlijk antwoord te geven.

* Vermijden mensen oogcontact met je?
* Ben je egocentrisch en geloof je dat jouw meningen feiten zijn?
* Heb je voortdurend complimentjes of geruststelling nodig?
* Ben je vaak negatief en praat je graag over angstaanjagende scenario's en uitkomsten?
* Roddel je over anderen of maak je mensen zwart?
* Kun je moeilijk alleen zijn en omring je jezelf voortdurend met mensen? Moet je altijd veel mensen om je heen hebben?
* Houd je van drama's? Zoek je vaak ruzie? Heb je vaak meningsverschillen?
* Zet je mensen klem om hun je levensverhaal te kunnen vertellen?
* Vertel je onbekenden over de tegenslagen in je leven?
* Vraag je steeds om advies, maar volg je het nooit op? Ben je geneigd de grenzen van anderen te ondermijnen?
* Ben je geneigd anderen een schuldgevoel te bezorgen en gebruik je dat om hen te manipuleren?
* Ben je erg koppig, maar verwacht je van anderen dat ze in de omgang met jou flexibel zijn?

Hoe meer vragen je met 'ja' beantwoordt, hoe waarschijnlijker het is dat je af en toe een energiezuiger bent. Houd dus je derde oog op jezelf gericht en leer hoe je op gezonde manieren aan meer energie komt.

Het is ook van belang dat je jezelf afvraagt waarom je af en toe energie zuigt. Wat is je uiteindelijke doel? Als je dit eenmaal weet, kun je gaan nadenken over betere en productievere manieren om dat doel te bereiken. Dat is niet alleen goed voor jezelf, maar ook voor de mensen die deel uitmaken van je leven. Als je dit een ongemakkelijk onderwerp vindt, kan het je misschien helpen als ik nogmaals zeg dat we af en toe allemaal een energiezuiger zijn. Het zal alleen minder vaak gebeuren als we ons bewust zijn van ons gedrag.

Oordelen uitstellen

Pas goed op wie je aanduidt als energiezuiger. We plakken dit etiket al te gemakkelijk op mensen met karaktertrekken waaraan wij ons ergeren. Soms doen we dat omdat iemand eigenschappen heeft die wij niet hebben, maar graag zouden bezitten. Tegenover deze personen stellen we ons soms energetisch onderdanig op en omdat we daar diep vanbinnen een hekel aan hebben, gebruiken we psychologische verdedigingsmechanismen die ons onze energie kosten.

Hier is een voorbeeld. Een collega van je houdt van gezelschap, heeft zelfvertrouwen en is charmant. Je zou dolgraag ook zo zijn, maar jij hebt complexen en onzekerheden die dat in de weg staan. Dit begint je te irriteren, want ergens weet je wel dat je nooit zult kunnen tippen aan wat deze man aan energie tentoonspreidt.

Bewust of onbewust word je jaloers op die collega, of je krijgt zelfs een hekel aan hem. Je hebt geen gegronde reden om je zo naar hem op te stellen, maar je doet het toch. Dit heeft een innerlijk conflict tot gevolg dat jouw energie opslurpt. Je raakt nu uitgeput, iedere keer als je met die collega omgaat. Dit heeft dus niets te maken met de vraag of jouw collega een energiezuiger is, maar alles met het feit dat hij iets heeft wat jij graag wilt hebben. Jouw logica en rechtvaardigheidsgevoel onderdrukken deze oneerlijke en negatieve emoties, wat ten koste gaat van de kracht van je aura.

Hetzelfde gebeurt met mensen die bepaalde eigenschappen bezitten of gedragingen vertonen die wij onszelf niet toestaan. Zij genieten bijvoorbeeld ongeremd van bepaald voedsel dat wij van onszelf niet meer mogen eten. Of ze leven voor hun plezier, terwijl wij gebukt gaan onder allerlei verplichtingen. Het is dus belangrijk dat je in de gaten houdt hoe je over anderen oordeelt. Denk niet dat deze mensen energiezuigers zijn omdat ze een destabiliserend effect op je hebben. Zij zijn niet degenen die jouw aura leegzuigen. De reden dat jij energie verliest, is gewoon jouw irritatie of jaloezie.

Ik heb eens een cliënt gehad die zich altijd leeg voelde als ze in de buurt van musici was. Ze concludeerde dat musici energiezuigers zijn die je maar beter kunt mijden. Pas na een healing van mij herinnerde ze zich iets uit haar jeugd en had ze een aha-moment.

Als kind genoot ze er enorm van om muziek te maken en ze bespeelde verschillende instrumenten. Ze kreeg altijd complimentjes over haar talent. Haar ambitieuze ouders waren echter bang dat hun dochter, als die de muziek in zou gaan, een straatarme bohemienne zou worden. Ze dwongen haar tot een wetenschappelijk carrière. Uiteindelijk werd ze succesvol in het bankwezen. Haar energie verslindende irritatie over musici hield verband met haar onvervulde zielswens en haar onbenutte talent. Dit belangrijke inzicht bracht haar ertoe weer piano te gaan spelen. Ze merkte dat dit haar op een diep niveau genas; voor haar betekende het een bijna meditatieve ervaring.

Als een persoon die ons hevig irriteert of ons van onze energie berooft onze onderdrukte authenticiteit weerspiegelt, moeten we die situatie in stille afzondering overdenken. Als je beseft dat dit precies is wat er met jou aan de hand is, moet je proactief zijn en je onderdrukte eigenschappen of talenten gaan gebruiken en tot uitdrukking brengen. Hier ligt ook een reden waarom het zo belangrijk is om er een gewoonte van te maken iedere dag je dankbaarheid te uiten voor wat je al hebt. Daarmee voed je je heiligbeenchakra, en dat bepaalt of je lekker in je vel zit.

Wat motiveert een energiezuiger?

Er zijn verschillende redenen waarom iemand een energiezuiger wordt. De ideeën daarover die ik hier aan je wil presenteren, zijn gebaseerd op het werk van Rudolf Dreikurs, een in Oostenrijk geboren Amerikaanse psychiater, die uit het werk van psycholoog Alfred Adler een praktische methode heeft gedestilleerd om lastig en problematisch gedrag van kinderen te begrijpen. De onderstaande vier categorieën die Dreikurs gebruikt om uit te leggen wat de redenen zijn achter het gedrag van kinderen, heb ik aangepast om licht te kunnen werpen op wat energiezuigers tot hun gedrag aanzet.

* **Gedrag om aandacht te trekken**. Dit is wat energiezuigers doen om anderen ertoe te verleiden de aandacht steeds weer op hen te richten.

* **Macht en controle**. Dit is de neiging van energiezuigers om overal zeggenschap over te hebben. Ze willen dat anderen hun mening herzien en zich tot het uiterste voor hen inspannen.
* **Wraakzucht**. Dit geldt voor mensen die een jeugdtrauma hebben opgelopen en onopgeloste conflicten en psychische verwondingen uit het verleden meedragen. Om zich beter over zichzelf te voelen zijn ze voortdurend op zoek naar manieren om anderen te kleineren. Achter dit lastige gedrag ligt het verlangen om hun psychische trauma en minderwaardigheidsgevoel te helen.
* **Hulpeloosheid en het gevoel tekort te schieten**. Deze gevoelens leiden tot het verlangen om alleen te zijn, maar anderen tegelijk het gevoel te geven dat ze hen te hulp moeten komen. De energiezuiger is er heilig van overtuigd dat hij niet kan bereiken waarnaar hij verlangt, dus probeert hij het ook niet; hij zendt het subtiele signaal uit dat anderen hem moeten redden. Hij is een moedeloze en apathische pessimist en doemdenker, en sluit zich het liefst op in zijn eigen kleine wereld.

Als we ons met energiezuigers bemoeien en proberen hen te motiveren, verbruiken we in onze pogingen om ze uit hun lethargie los te trekken een enorme hoeveelheid energie. Zij willen echter helemaal niet veranderen. Vaak offeren wij ons voor hen op, totdat we ons realiseren dat ze onze hulp helemaal niet nodig hebben.

Hulp versus opoffering

Hier wil ik een belangrijk onderscheid benadrukken: hulp bieden is niet hetzelfde als jezelf opofferen. Als je iemand helpt en je gebruikt daar je energie en je daadkracht voor, terwijl je van de ander geen tegenprestatie verwacht, dan heeft die persoon geen reden om te veranderen. Als jij je energie op deze manier opoffert, ondermijn je je eigen grenzen en negeer je de behoeften van je ziel.

Je verlaat je eigen weg en draagt de ballast van de aura van de ander. Dat betekent dat je deel hebt aan het disfunctionele gedrag van die persoon, en in een relatie stapt van donor en zuiger (een dynamiek waar ik later nog uitgebreider op terugkom). Jij bent de enige die iets aan deze verhouding kan veranderen; de ander zal dat nooit doen, omdat de situatie voor hem maar al te prettig is. Hij krijgt precies wat hij wil! Het is volkomen terecht dat je van de ander verwacht dat hij stappen zet om zichzelf te helpen voordat jij energie in de zaak steekt.

Ik wil benadrukken dat er extreme situaties kunnen voorkomen waarin onbaatzuchtige offers gerechtvaardigd zijn, maar die komen toch maar zelden voor. Ik vertrouw erop dat je hier zelf over kunt oordelen.

Verschillende typen energiezuigers

Er bestaan verschillende typen energiezuigers. Hieronder beschrijf ik degenen die je het meest zult tegenkomen. Vergeet niet dat de volgende beschrijvingen ook op jouzelf van toepassing kunnen zijn, op het moment dat jij je als energiezuiger gedraagt.

Emotionele chanteur

Deze energiezuigers zijn in het begin moeilijk te herkennen, want ze zijn juist buitengewoon vriendelijk en grootmoedig. Elke keer dat je ze ontmoet, krijg je een cadeautje van ze of kopen ze iets lekkers voor je. Als je met ze afspreekt om te gaan lunchen of dineren, staan zij erop de rekening te betalen, zelfs als jullie afgesproken hadden die te delen; waarschijnlijk staan ze je niet eens toe de fooi te geven. Ze hangen aan je lippen en overspoelen je met hun aandacht, en ze vertellen je herhaaldelijk hoe geweldig je bent.

Pas op! Het lijkt misschien dat deze persoon jou zijn onvoorwaardelijke liefde geeft, maar na verloop van tijd begin je te beseffen dat die liefde helemaal niet zo onvoorwaardelijk is. Integendeel. Je krijgt het gevoel dat je in de val zit, want aan alles wat die ander je geeft hangt een prijskaartje.

Degene die jou emotioneel chanteert begint eisen te stellen, dringt je persoonlijke ruimte binnen en behandelt jouw persona als van zichzelf. Het liefst zou je je van die ander losmaken en hem de rug toekeren, maar alleen al de gedachte daaraan maakt dat je je schuldig voelt, omdat de ander eerst zo grootmoedig is geweest.

Wat is hier nu precies aan de hand? Hoewel degene die je emotioneel chanteert heel oprecht lijkt, heeft hij je met complimenten overladen om jouw grenzen te kunnen ondermijnen.

Dit gedrag komt dikwijls voort uit een moeilijke jeugd. De persoon in kwestie kan bijvoorbeeld zijn opgegroeid met de overtuiging dat niemand hem liefheeft of wil om wie hij is. Vandaar dat hij voortdurend stimulansen en beloningen moet uitdelen. Hij kan als kind zelfs in de steek gelaten zijn en zichzelf nu geen liefde waard vinden. Vandaar dat hij meent dat hij krijgt wat hij nodig heeft, door genegenheid van anderen te kopen. Dit type energiezuiger hecht zich aan ons via de emotionele laag van onze aura.

Vleier

Deze energiezuigers komen je persoonlijke ruimte binnen door eindeloze vleierij. Ze zeggen bijvoorbeeld: 'Ik heb een groot respect voor je' of 'Ik voel een diepe liefde voor je'. Je belandt natuurlijk gemakkelijk in deze valkuil, want als je deze complimenten hoort, krijgt je zelfvertrouwen een duwtje in de rug. Wie wil er nu niet horen hoe bijzonder hij is?

Maar er zit een addertje onder het gras. Die complimenten zijn niet echt gemeend, ze komen niet uit het hart. Als je voldoende diep graaft, ontdek je dat al deze vleiende woorden gebaseerd zijn op de afgunst die de vleier voelt ten aanzien van jouw succes, jouw geluk of gewoon het leven dat jij leidt. Ze kunnen een hekel aan je hebben, maar blijven toch graag dicht in je buurt, om zich met jouw energie te kunnen voeden. Zolang deze dynamiek niet verandert, zal de verhouding zo blijven.

Als jij te maken krijgt met persoonlijke problemen – je wordt bijvoorbeeld ziek of je verliest veel geld – dan is de vleier de eerste die jou in de steek laat. Hij doet dat zonder spijt zelfs; hij bant je eenvoudig uit zijn leven. Hij kan nu zelfs veranderen in je vijand en achter je rug om kritiek op je hebben.

Belangrijk om niet te vergeten is dat dit type energiezuiger jou alleen voedt met vleierij en andere dingen die bedoeld zijn om je ego aan te spreken. Als je hem iets vraagt, krijg je dus altijd een vleiend antwoord.

Een echte vriend daarentegen zal je eerlijk zijn mening geven, ook als die iets inhoudt wat je liever niet hoort.

Manipulator

Dit is ook een type energiezuiger dat ongelofelijk charmant en charismatisch kan overkomen, en bovendien heel meelevend en attent kan zijn. Manipulators zullen je vertellen dat ze om je geven, en ze laten je merken dat ze altijd op zoek zijn naar manieren om zichzelf nuttig te maken. Als je een lift nodig hebt, dan hoef je het maar te vragen. Als je het moeilijk hebt, komen ze langs met iets om je op te vrolijken.

Op die manier raken ze echter te diep betrokken in je leven, en beginnen dat steeds meer te sturen. Ze informeren naar de problemen die je hebt en vertellen je vervolgens wat je eraan moet doen. Een voorbeeld van een manipulator is de overbezorgde moeder. Ze is zo betrokken bij het leven van haar kinderen dat ze zich zelfs bemoeit met hun relaties en twijfel zaait over hun partnerkeuze. De manipulator kan ook de vriend zijn die heel behulpzaam en zorgzaam overkomt, maar die er eigenlijk op uit is om in jouw leven drama's te creëren, bijvoorbeeld door je achterdochtig te maken over de motieven of de trouw van je partner.

De manipulator kan zelfs je baas zijn: hij is enorm onder de indruk van je talenten en zegt voortdurend hoe fantastisch je bent, om je vervolgens met allerlei extra werk op te zadelen. Hij draagt het masker van iemand die jouw kwaliteiten waardeert en bewondert, maar al die complimentjes alleen maar gebruikt om jou zover te krijgen dat jij hem jouw energie geeft. Dit type energiezuiger kan in zijn optreden tamelijk meedogenloos te werk gaan.

Groenogig monster

Dit zijn de jaloerse mensen die vertwijfeld hopen net zo gelukkig, positief en gezond te zijn als jij. Ze oordelen genadeloos over je als jij een van de eigenschappen bezit die zijzelf zouden willen hebben; ze proberen je een slecht gevoel te geven over die eigenschappen, bijvoorbeeld door opmerkingen te maken die oppervlakkig gezien misschien ongevaarlijk lijken, maar bij nader inzien toch weerhaakjes blijken te hebben. Dit is een vorm van jaloezie. Groenogige monsters hebben het gevoel dat ze er niet in slagen de persoon te worden die ze zouden willen zijn. Daarom doen ze hun best om jou naar hun niveau te trekken, in plaats van op te stijgen naar dat van jou. Ze proberen je bijvoorbeeld dronken te voeren, zelfs als jij ze duidelijk hebt gemaakt dat je niet drinkt. Of ze houden je 's avonds tot heel laat op, terwijl ze weten dat jij liever op tijd naar bed gaat. Als jij naar hun niveau bent afgedaald, krijgen zij daar energie van.

Paranoïde energiezuiger

Deze mensen zijn hypergevoelig en vinden het heerlijk om zonder enige aanleiding drama's te creëren. Deze mensen ontdekken overal verborgen negatieve betekenissen en vatten die altijd persoonlijk op, overtuigd als ze ervan zijn dat anderen het op hen hebben gemunt. Ze vertrouwen niemand en zijn ervan overtuigd dat iedereen een verborgen agenda heeft.

Paranoïde energiezuigers zijn ongelofelijk star; als anderen zich niet richten naar hun gedragscode, worden ze boos of achterdochtig. Als jij een fout maakt en je daarvoor verontschuldigt, vergeet een paranoïde energiezuiger dat nooit meer en ziet altijd kans om je aan je fout te herinneren. Als je ze boos maakt, vertrouwen ze je nooit meer.

Dit type energiezuiger zal zelfs proberen de werkelijkheid aan te passen aan het eigen idee over hoe jij bent; ze vinden altijd wel manieren om situaties zo te manipuleren dat hun negatieve en paranoïde mening over jou bevestigd wordt. Het is uitputtend om slachtoffer te zijn van het gedrag van paranoïde energiezuigers, want ze doen je twijfelen aan jezelf en ondermijnen je vertrouwen in je eigen energetische ruimte. Dat is precies wat paranoïde energiezuigers willen, want zij voeden zich met jouw verstoorde energie.

Mooi-weer-energiezuiger

Als je een goede periode hebt, of je hebt iets om te vieren, staan er onmiddellijk mooi-weer-energiezuigers naast je. Je krijgt de indruk dat ze je echt mogen en graag in je gezelschap verkeren. En jij vindt het ook prettig als zij er zijn. Maar bij het eerste teken van moeilijkheden – je krijgt bijvoorbeeld te maken met problematische emoties of je voelt je niet zo lekker – verdwijnen ze uit je leven. Ze nemen geen contact meer met je op, ze reageren niet op je telefoontjes, en je e-mails lijken in een zwart gat te verdwijnen.

Je kunt van het gezelschap van deze personen genieten, maar verwacht geen dingen van ze die ze niet kunnen geven. Investeer ook niet in ze op een dieper niveau, want daar zul je ze nooit aantreffen. Uiteindelijk ben je niets meer dan een steun voor hun emotionele energie.

Pauw

Pauwen zijn helemaal in de ban van zichzelf. Ze kunnen het maar niet laten om tegenover jou op te scheppen over wat ze allemaal bereikt hebben, en laten je voortdurend weten hoe geweldig ze wel niet zijn. Netwerken is voor hen een tweede natuur – ze doen het vaak meedogenloos – en ze maken daarbij ook heel gemakkelijk gebruik van jouw contacten. Op den duur merk je dat ze jou slechts gebruiken als een spiegel waarin ze zichzelf kunnen bewonderen.

Ze zijn niet in jou geïnteresseerd; ze hebben alleen belangstelling voor jouw bewondering, of ze gebruiken je als achtergrond waartegen zij mooi afsteken. Als je dit door gaat krijgen, ontdek je dat het gesprek zelden of nooit over jou gaat; alles draait om hen. Ook al komen ze heel empathisch en warm over, je komt er al snel achter dat dit een trucje is om jouw energie aan te spreken, en je als steun te gebruiken voor hun enorme ego. Het enige wat pauwen van jou willen horen is hoe geweldig ze zijn. Eigenlijk besta jij niet voor hen; behalve dan om hen te bevestigen.

Verstikkende liefde

Deze dynamiek van donor en energiezuiger is normaal tussen moeder en kind. Zoals we eerder besproken hebben, is het basischakra van de moeder verbonden met het basischakra van het kind. Als na de geboorte de navelstreng wordt doorgeknipt, blijft de moeder met het kind verbonden door een energetisch koord tussen hun heiligbeenchakra's.

Deze energetische verbinding blijft zo'n negen tot tien jaar intact, totdat het kind zelfstandig begint te worden en ook energetisch van zijn moeder wordt gescheiden. Als de moeder echter een of ander trauma heeft meegemaakt waardoor ze behoeftig en bezitterig is, zal ze niet toestaan dat deze scheiding plaatsvindt; ze zal haar kind dan overstelpen met een verstikkende vorm van liefde.

Dit gebeurt ook wel als de moeder verlangt naar gezelschap, maar er niet in die behoefte wordt voorzien, bijvoorbeeld omdat haar partner niet beschikbaar is, of omdat ze alleenstaand is. Zo'n toestand maakt dat zijzelf niet de kans krijgt om een nieuwe partner te vinden, terwijl haar kind geen ruimte ervaart om succesvolle romantische relaties of gezonde vriendschappen aan te gaan. Zelfs als het volwassen is, kan een kind het gevoel blijven houden dat het zijn energieveld deelt met zijn moeder. Deze belemmering bij het vormen van persoonlijke ruimte leidt ook tot een gebrekkige immuniteit voor de toxische energieën van het leven.

Tijdelijke energiezuiger

Soms is iemand maar voor korte tijd een energiezuiger. Dat gebeurt vaak in geval van ziekte. De zieke heeft zelfmedelijden, klaagt erover hoe slecht hij zich voelt en maakt daar een drama van. Als je vraagt hoe het met hem gaat, overdrijft hij zijn klachten om je medeleven te krijgen. Ik vermoed dat wij ons hier af en toe allemaal schuldig aan maken; meestal stopt het als we ons weer beter beginnen te voelen.

Kletsmajoor

Dit zijn mensen die maar niet ophouden met praten. Ze praten over van alles en nog wat. Er is echter geen sprake van een gesprek, want ze praten niet met jou. Ze negeren het feit dat jij alleen uit beleefdheid naar hen luistert, en praten maar door over mensen die jij nooit hebt ontmoet – soms laten ze je daar zelfs foto's van zien. Geen wonder dat je op een gegeven moment uitgeput raakt.

Als een kletsmajoor jou opbelt, weet je niet hoe je het gesprek moet beëindigen, omdat de ander steeds nieuwe dingen vindt om over door te praten. Als je deze mensen op straat tegenkomt, zit je er voor je gevoel aan vast en weet je niet hoe je weer van afkomt. Soms betreft het een vriend of vriendin die steeds maar nieuwe drama's meemaakt; er is altijd wel iets dat jullie gesprek domineert en alle aandacht opeist.

Grijze muis

Als je voor het eerst een grijze muis tegenkomt, heb je er vaak geen idee van dat deze bescheiden, zachtaardige persoon een energiezuiger zou kunnen zijn. Grijze muizen praten zo zacht en rustig dat je je moet inspannen om ze te verstaan. En dat is precies de manier waarop ze jouw aandacht trekken. Pas als ze die eenmaal hebben, ontdek jij dat ze altijd melancholisch zijn en dat er altijd wel iets met ze aan de hand is.

Je zult grijze muizen nooit voluit zien lachen of oprecht blij of gelukkig zien, want daarvoor voelen ze zich veel te ellendig. Al snel voel jij je in hun gezelschap even ellendig als zij, omdat je gaat meetrillen op hun golflengte. En dat gebeurt dus allemaal omdat jij je aanpast aan hun zachte stemgeluid.

Zevenklapper

Houd je vast! Als je in de buurt van een zevenklapper bent, is het alsof je over een te strak gespannen koord loopt, dat elk moment kan knappen. Ze zijn zo verhit en kort aangebonden, ze hebben zo'n kort lontje, dat je bang wordt in hun buurt, en je vanbinnen klein maakt om hen maar niet te provoceren.

Zevenklappers zijn heel gevoelig voor competitie en zullen niet toestaan dat iemand het van hen wint. Ze voelen zich dan ook superieur aan anderen. Ze geven altijd de voorkeur aan oorlog boven vrede, zowel in woord als in daad. Zevenklappers lokken graag conflicten uit. Ze geloven altijd dat ze in hun recht staan en dat alle anderen fout of schuldig zijn. Als ze iets te klagen hebben, stappen ze het liefst naar de hoogste autoriteit. Ze zoeken naar manieren om jou, hun tegenstander, onderuit te halen, want ze willen je klein krijgen. Als jij uit je comfortzone raakt, angstig reageert en energetisch onderdanig wordt, krijgen zij een kick.

Pestkop

Dit type energiezuiger lijkt erg op de zevenklapper, in de zin dat hij je wil kleineren. De pestkop bereikt dat door je op de kast te jagen. Pestkoppen kiezen graag iemand als slachtoffer die in een bepaald opzicht afwijkt van anderen. Ze zijn wreed tegen die persoon, pesten hem met zijn onzekerheid of lichamelijke gebreken. Het slachtoffer blijft reageren en dat is precies waar de pestkop zijn energie van krijgt. Iemand die energetisch sterk is, heeft nooit een ander nodig om aan energie te komen; dit betekent dat de pestkop per definitie zwak is op energetisch niveau.

Je mag er alleen maar naar kijken

Hier hebben we te maken met iemand die anderen met het uiterlijk en de manier van kleden voortdurend provoceert, of het nu gaat om een kort rokje, een diep uitgesneden topje, hipsterjeans, opzichtige kleuren, een massa piercings een bibliotheek aan tatoeages, of heel veel make-up. Dat doen ze om zich te voeden met jouw aandacht. Ze zijn geïnteresseerd in hoe jij op hen reageert. En het maakt hun niets uit of je dat nu in positieve of in negatieve zin doet.

Deze mensen provoceren vaak ook op andere manieren. Ze maken bijvoorbeeld gebruik van uitgesproken seksuele gedragingen en taal. Door tegelijk niet beschikbaar te zijn, voeden ze zich met de energie van begeerte die ze zo bij anderen opwekken. Ze gebruiken hun seksuele energie als aas om jouw aandacht te vangen, maar het eindigt ermee dat je, als ze je eenmaal aan de haak hebben, laten bungelen. Deze energiezuigers kunnen heel jong en onvoorstelbaar aantrekkelijk, knap en sexy zijn. Ze geven je alleen heel weinig terug voor alles wat ze van je nemen.

In deel V leer ik je enkele technieken om met energiezuigers om te gaan, en ook een paar manieren om je eigen neiging tot energie zuigen in toom te houden.

DEEL IV

Een ziekte van de eenentwintigste eeuw

8

De digitale laag van de aura

Misschien schrik je in eerste instantie van wat ik je in dit deel van het boek ga vertellen, maar het gaat me nu eenmaal erg aan het hart. Zoals ik heb uitgelegd in hoofdstuk 1 heeft onze aura zeven lagen. De eerste drie heb ik uitgebreid behandeld, omdat vooral deze drie te maken hebben met de onderwerpen die ik in dit boek behandel. Tot mijn verbazing begin ik echter te beseffen dat mensen in het Westen nu, in de eenentwintigste eeuw, een achtste laag in hun aura ontwikkelen: een digitale laag.

Onze aura heeft zich altijd aangepast aan veranderingen in ons leefmilieu en in tegenstelling tot de meeste evolutionaire veranderingen zijn de digitale ontwikkelingen onvoorstelbaar snel gegaan. Vandaar dat wij ons lichaam en onze aura bewust moeten helpen om in deze nieuwe werkelijkheid hun evenwicht te vinden.

Onze digitale omgeving

Ons leven wordt langzaam maar zeker overgenomen door digitale technologie. Je vindt bijna geen huis meer zonder verschillende beeldschermen, wifi en allerlei elektronische apparaten. Ze zijn bijna een vast onderdeel van elk huishouden geworden. Mobiele telefoons zijn sinds ze in de jaren tachtig op de markt kwamen, steeds kleiner geworden en inmiddels dragen we ze voortdurend op zak. Onze computers zijn onvoorstelbaar veel sneller geworden, en als we willen kunnen we in een hoekje van de kamer een computersysteem installeren dat antwoord op onze vragen geeft en zelfs een maaltijd voor ons kan bestellen.

Het internet heeft voor ons leven een revolutie betekend die nog niet eens zo lang geleden bijna ondenkbaar was. We kunnen online bankieren, muziek en films streamen, over alle mogelijke zaken onmiddellijk informatie krijgen, en met iemand chatten die in een andere tijdzone of aan de andere kant van de wereld woont. Dankzij het wereldwijde gebruik van internet beschikken we nu ook over een online persona. We projecteren onze aanwezigheid via allerlei accounts en profielen in cyberspace, waardoor velen van ons naast het feitelijke bestaan een virtueel bestaan hebben. Onze online persona begint ons ook te beïnvloeden.

Stel je bijvoorbeeld voor dat je een van je social media-accounts gaat gebruiken als verlengstuk van jezelf. De avatars en namen die je hebt gecreëerd om jezelf een masker aan te meten beginnen je ware gezicht aan te tasten. Dit soort crossovers en het feit dat digitale apparaten voortdurend in onze aura aanwezig zijn, hebben voor een nieuwe energiestroom gezorgd: een digitale laag in onze aura.

Ik zie dit niet per definitie als iets pathologisch, maar meer als een aanpassing aan alle veranderingen in de omgeving. De reden dat ik dit hoofdstuk geschreven heb, is dat deze digitale laag steeds allesoverheersender wordt. Langzaamaan neemt hij steeds meer onze energetische identiteit over, door onze relatie met het Zelf en met de echte wereld te veranderen.

We worden steeds afhankelijker van computers en gebruiken ze bij de kleinste cognitieve bezigheden; het gevolg daarvan is dat de digitale energie vervlochten raakt met de mentale laag van onze aura. Een groot deel van onze emotionele energie is afhankelijk geworden van de prikkel die we krijgen als anderen ons via social media een bericht sturen, of onze geüploade foto's liken. We passen onze innerlijke gevoelsstroom aan de snelle veranderingen aan die we met onze digitale apparaten volgen.

Omdat we onze computer gebruiken om onszelf te gronden en inspiratie op te doen, verliezen we gemakkelijk het contact met onze primaire energiebronnen: de aarde en het universum. We stemmen ons af op de digitale stroom in plaats van op de stroom van energieën in de natuur, met als gevolg dat deze surrogaatenergie een nieuw soort aura creëert. Ik denk dat het tijd wordt om een nieuw evenwicht te vinden.

In slechts enkele jaren heeft de digitale technologie ons leven onherkenbaar veranderd. Bij velen begint deze technologie het leven zelfs te overheersen. We nemen onze smartphone mee als we aan tafel gaan, en communiceren daarmee in plaats van met elkaar. We nemen onze smartphone mee naar bed, zodat we de laatste berichten op social media nog meekrijgen voordat we het licht uitdoen.

We checken onze smartphone op berichten als we midden in de nacht wakker worden, of pakken hem er 's morgens nog voor we uit bed stappen alweer bij. Zodra we buiten komen klampen we ons aan onze smartphone vast, of hij gaat in de broekzak, zodat we hem snel kunnen pakken zodra er een signaal klinkt. Het is niet overdreven om te zeggen dat voor sommigen de smartphone een verlengstuk is geworden van henzelf.

De meeste mensen willen niet dat dit verandert; ik denk dat al deze digitale apparaten in veel opzichten ook een enorme vooruitgang voor ons betekenen. De digitale omgeving begint echter op een poppenspeler te lijken: in plaats van ons te dienen maken al die apparaten in steeds grotere mate marionetten van ons. Ik heb inmiddels veel cliënten gezien die lijden aan digitale overbelasting, en wanhopig proberen af te komen van hun verslaving aan digitale media.

Digitale apparaten zijn onze nieuwe energiezuigers! Heel vaak zijn we eraan overgeleverd en is hun piepje ons bevel. We springen op zodra onze telefoon opflitst of piept. Hij zuigt onze energie weg en wij geven gewillig onze grenzen voor hem op. We leveren onze persoonlijke ruimte in, in ruil voor onmiddellijke bevrediging en bevestiging in de vorm van likes op social media.

Digitale vervuiling

Telefoons, computers, tablets, laptops, routers, smart-tv's en zelfs de kleine fitnessapparaatjes die we aan onze pols dragen, maken allemaal gebruik van elektromagnetische golven om gegevens en signalen over te zenden. Zoals we hiervoor besproken hebben, brengt de natuur – en dus ook ons lichaam – elektromagnetische velden voort; onze aura is dus elektromagnetisch van aard.

Deze natuurlijke velden hebben echter geen hoge intensiteit. De moderne technologie produceert veel krachtiger elektromagnetische velden, wat gezondheidsrisico's voor ons met zich meebrengt. Krachtige kunstmatige elektromagnetische velden kunnen onze aura en de natuurlijke werking van ons lichaam verstoren. In de omgang met elektronische apparaten moeten we dus niet alleen stilstaan bij de effecten daarvan op onze aura, maar ook bij de toxische elektromagnetische straling ervan.

Je bent inmiddels vertrouwd met mijn inzichten in de manieren waarop wij synchroniseren met energievelden om ons heen. Ik vrees dat wij een soortgelijke synchronisatie vertonen met onze digitale apparaten. Zoals je tijdens een wandelingetje met een vriend je tred aanpast aan die van hem, zo pas je ook het ritme van je innerlijke energie aan als je bezig bent met elektronische apparaten. Daarmee verandert ook je interactie met licht, zoals we dadelijk zullen zien. Evolutionair gezien vinden deze veranderingen zo snel plaats dat onze aura en ons lichaam moeite hebben om zich hieraan op een gezonde manier aan te passen. Ik kan als healer heel verdrietig worden als ik zie hoe de energie van mensen in bezit genomen wordt door apparaten; dit leidt namelijk nooit tot een authentiek of bevredigend leven, of tot een gezond lichaam.

Tring tring

Wat doe jij 's nachts met je mobiele telefoon? Zet je hem uit? Laat je hem in je broekzak zitten of op tafel liggen? Ligt hij in je slaapkamer of ergens anders? Leg je hem op je nachtkastje, zodat je je e-mails kunt checken, of je social media-accounts kunt bijwerken vlak voordat je gaat slapen? Word je 's morgens gewekt door het alarm van je telefoon? Misschien leg je hem zelfs wel onder je kussen, zodat hij steeds binnen handbereik is!

Het kan handig zijn om je telefoon in de buurt te hebben, maar er zijn verschillende redenen waarom dat toch niet zo'n goed idee is. Uit een reeks experimenten is gebleken dat een mobiele telefoon dicht bij je hoofd (dus ook op je nachtkastje of onder je kussen) veranderingen teweegbrengt in die delen van je hersenen die zich het dichtst bij de telefoon bevinden.

Dit beïnvloedt het basale rustgedrag van je hersenen.[1,2] Het is nog niet bekend wat hiervan de langetermijngevolgen zijn, maar we weten al wel dat onze hersengolven veranderen als een mobiele telefoon signalen uitzendt of ontvangt. Men neemt aan dat deze effecten een langzame, geleidelijke verandering teweegbrengen in onze mentale aanwezigheid en alertheid.[3]

Als healer kan ik je wel zeggen dat je mobiele telefoon een enorme verstoring teweegbrengt in het derde oog en het kruinchakra, die van groot belang zijn voor je intuïtie en om jezelf energetisch op te laden. Deze verstoring draagt ertoe bij dat velen er niet in slagen toegang te krijgen tot hun intuïtie of zich af te stemmen op het universum.

Hoe slaap je?

Normaal gesproken houden ons lichaam en onze hersenen de tijd bij; op basis van de lichtintensiteit en de eigen hormoonniveaus weten ze wanneer het dag is en wanneer nacht. Dit gaat allemaal vanzelf, net als heel veel andere functies die door onze hersenen worden bestuurd. Als we in een donkere kamer in bed liggen en ons ontspannen, beseffen onze hersenen wat we doen en schakelen onze hersengolven over naar een patroon dat bedoeld is om ons in slaap te laten vallen.

Verontrustend is dat elektronische apparaten die een vaste plaats veroverd hebben in onze woning, onze slaappatronen kunnen verstoren; het lichaam stemt zich dan niet meer automatisch af op een regelmatig dag- en nachtritme. In plaats van moeiteloos in slaap te vallen als onze hersengolven overschakelen naar hun slaapopwekkende patroon, kan het eindeloos duren voordat onze ogen dichtvallen, of dat gebeurt helemaal niet: de straling die van telefoonsignalen en radiogolven verstoort de natuurlijke patronen van elektrische activiteit van de hersenen.[4,5]

Met andere woorden, onze hersenen synchroniseren met deze stralingssignalen, waardoor we de hele nacht wakker blijven.

Nog verontrustender is dat de voortdurende uitzending van radio- en telefoonsignalen niet alleen ons vermogen om in slaap te vallen aantast, maar ons de hele nacht door beïnvloedt, onze slaapgewoontes verandert en de hoeveelheid remslaap die we krijgen vergroot.[6,7] Tijdens de remslaap dromen we het levendigst, dus je zou denken dat dit geen groot probleem is, want levensechte dromen kunnen heel vermakelijk zijn.

Maar als we elke nacht te lang in de REM-fase zitten, ervaren we de andere slaapfasen (de lichte en de diepe slaap) te weinig. En laat nu juist dat de fasen zijn waarin we ons ontspannen: ons ademhalingsritme en onze hartslag worden daarin regelmatig, ons lichaam herstelt zich van de dagelijkse inspanningen, scheidt ter compensatie van de stresshormonen van overdag essentiële hormonen af, en voert de noodzakelijke reparaties uit aan de spieren.

Niet alleen radio's en telefoons maar ook wifi-routers kunnen verhinderen dat wij een goede nachtrust krijgen. Onze hersenen synchroniseren met de straling die ze afgeven, waardoor de basisritmes van ons lichaam op zorgwekkende manieren aangetast kunnen worden. Dat betreft allereerst weer ons slaappatroon. Wifi kan bijdragen aan slapeloosheid; als de ultrasnelle signalen die een router uitzendt ons lichaam en onze hersenen raken, kunnen ze de elektrische signalen verstoren die het lichaam gebruikt om de slaap te reguleren, waardoor wij wakker kunnen blijven. En als we de slaap wel vatten, rusten we daar minder van uit.[8]

Je vraagt je misschien af of dat zo erg is; we slapen tenslotte allemaal weleens minder goed, en komen daar doorgaans wel weer overheen. Dat is waar, maar dat lukt natuurlijk niet als dit elke keer dat we naar bed gaan opnieuw gebeurt. De tweede bekende manier waarop wifi voor aantasting zorgt, is dat het zorgt voor een verslechtering van ons mentale functioneren. Dit is waarschijnlijk ook een gevolg van de synchronisatie van onze hersenen met de signalen die een router uitzendt.[9]

Ik wil je iets vragen. Als je 's nachts niet kunt slapen, zet je modem of router dan eens uit. Niet alleen krijgen je hersenen dan de gelegenheid om terug te keren naar hun normale, gezonde slaapritme, maar het voorkomt ook dat je 's morgens vroeg direct je e-mail of social media-accounts checkt.

Smartphones en andere elektronische apparaten zoals tv's kunnen ook invloed hebben op ons vermogen om in slaap te vallen door het blauwe licht dat ze uitzenden. Dat licht vermindert de hoeveelheid melatonine die de hersenen produceren. Melatonine is erg belangrijk voor de regulering van ons slaap-waakritme, en daarmee voor ons vermogen om in slaap te vallen.[10]

's Avonds te veel online zijn, zelfs tot drie uur voordat we gaan slapen, kan onze hersenen doen geloven dat het nog steeds dag is en dat we er nog niet aan toe zijn om te gaan slapen. Onze hersenen zijn dan gesynchroniseerd met het blauwe licht dat onze beeldschermen uitzenden.

De controle behouden

Zoals ik net heb uitgelegd laat de wetenschap ons dus zien dat wij geneigd zijn te synchroniseren met de elektronische apparaten die we gebruiken, op dezelfde manier als we synchroniseren met andere mensen. Voor de meesten van ons is stoppen met het gebruik van digitale technologie geen optie, en dat is ook niet waartoe ik wil oproepen. Als we echter een evenwicht willen vinden en een authentieke energiestroom in ons leven willen herstellen, dan mogen we deze nieuwe digitale laag van onze aura niet negeren. Dat betekent dat we onze online persona in toom moeten leren houden; in de omgang met digitale apparaten moeten we zelf de touwtjes in handen houden. Met andere woorden, we moeten ervoor zorgen dat wij de controle behouden.

De trillingsfrequenties van elektronische apparaten liggen veel hoger dan onze menselijke trillingsfrequenties. Dat is de reden waarom velen het gevoel hebben dat ze voortdurend achter hun apparaten aanlopen. De geluiden, piepjes en lichtsignalen die onze smartphones, computers, tablets en andere apparaten de hele dag (en soms ook 's nachts) afgeven, dringen voortdurend onze persoonlijke ruimte binnen.

Sommigen weten deze elektronische aanval tot op zekere hoogte in te dammen – zij schakelen hun apparaten af en toe uit of zetten in elk geval het geluid zacht – maar dat geldt niet voor iedereen. Onderzoek wijst uit dat er een correlatie bestaat tussen bepaalde persoonlijkheidstypen en het onvermogen om grenzen te stellen aan het gebruik van elektronische apparatuur. Het lijkt erop dat iemand die een verslavingsgevoelige persoonlijkheid heeft, een pleaser is, verlegen is of een gering gevoel van eigenwaarde heeft, doorgaans meer last heeft van de voortdurende aandacht die deze apparaten vragen dan iemand die niet verslavingsgevoelig is en veel zelfvertrouwen heeft.[11,12]

Daar kan ik aan toevoegen dat ik als healer heb gemerkt dat mensen die last hebben van een uitgeputte aura of een geblokkeerd basis- of heiligbeenchakra, meer geneigd zijn zich te hechten aan hun elektronische apparaten. Die apparaten zijn hun surrogaat geworden voor gronding, en zorgen ervoor dat ze een band hebben met kennissen en vrienden. Het geeft hun het gevoel dat ze er mogen zijn. Zo begint ons onlinebestaan te fungeren als een pleister op de wond van uitgeputte natuurlijke levenskracht.

Ben jij verslaafd aan je telefoon?

Wetenschappelijk onderzoekers bestuderen het verslavende karakter van mobiele telefoons al sinds 2005. Het is duidelijk dat het gebruik van een mobiele telefoon of smartphone verslavend kan zijn vanwege de rol die sommige mensen er in hun leven aan geven.[13,14] Mocht je je afvragen of dit ook voor jou geldt, kijk dan eens naar onderstaande kenmerken van verslaving aan je mobiele telefoon:

1. Je hebt het gevoel dat je je telefoon voortdurend moet gebruiken.
2. Op het moment dat je hoort dat er een e-mail of ander bericht binnenkomt, kun je niet wachten om te kijken wat het is; als dat om een of andere reden niet direct kan, word je onrustig.
3. Je hebt je telefoon bijna voortdurend in je hand geklemd en legt hem liever niet ergens neer.
4. Je checkt je telefoon voortdurend, zelfs als je met iemand in gesprek bent, als je eet, als je de hond uitlaat en misschien zelfs als je in de bioscoop of het theater zit.

5. Je neemt je telefoon mee als je naar de wc gaat, voor het geval je een bericht binnenkrijgt dat je wilt lezen.
6. Vrienden en geliefden klagen erover dat ze nooit je volledige aandacht krijgen, omdat je zo snel wordt afgeleid door je telefoon.
7. Je slaapt met je telefoon naast je, zodat je 's nachts, mocht je wakker zijn, kunt zien of er iets is binnengekomen.
8. De manier waarop je je telefoon gebruikt, betekent een aanzienlijke verstoring van je leven.

Ook is bekend dat de hoeveelheid tijd die iemand aan social media-apps besteedt, een sterke aanwijzing is voor de mate van verslaving aan een mobiele telefoon. Een andere aanwijzing is de omvang en dichtheid van iemands online netwerk. Met andere woorden, hoe meer social media je gebruikt en hoe meer vrienden en volgers je daarop hebt, hoe waarschijnlijker het is dat je verslaafd raakt aan je telefoon.

Als je je telefoon alleen gebruikt om af en toe wat foto's te maken voor privégebruik, dan ben je er niet aan verslaafd. Het wordt natuurlijk een ander verhaal als je die foto's regelmatig post op allerlei social media of ze appt of mailt naar je vrienden.

In het volgende hoofdstuk zal ik je laten zien hoe jij de baas blijft over de digitale laag van je aura.

9

Digitaal leven of digitale slavernij

De meesten van ons hebben geen keus en moeten wel 'ja' zeggen tegen de digitale technologie die ons leven in de afgelopen decennia zo radicaal heeft veranderd. Het is een ontwikkeling die niet meer is terug te draaien. Niettemin geloof ik dat we ons digitale leven in balans moeten brengen met ons echte leven. In plaats van te ontkennen dat deze ontwikkelingen ons leven ingrijpend veranderd hebben en te zeggen dat elektronische apparaten slecht zijn en zoveel mogelijk gemeden moeten worden, geloof ik dat we ze onder onze voorwaarden en vanuit het perspectief van ons authentieke zelf moeten omarmen.

Wel denk ik dat het daarbij van cruciaal belang is dat we ons verzetten tegen een allesomvattende digitale overheersing, die onze grenzen en persoonlijke ruimte wegvaagt, en onze innerlijke ritmes gaat besturen, bijvoorbeeld onze lichamelijke klok. We moeten er allemaal voor zorgen dat we onze stofwisseling verbeteren, zodat die sterk genoeg is om het onvoorstelbaar snelle tempo van de digitale technologie bij te houden.

Overheersing door de digitale laag

Zoals ik in het vorige hoofdstuk heb uitgelegd, ontwikkelen we tegenwoordig een digitale laag in onze aura. We moeten er echter voor zorgen dat die ons niet gaat besturen, alsof wij computerprogramma's zijn.

Mensen creëren technieken om er gebruik van te maken, maar het moet niet zo zijn dat deze technieken ons gaan gebruiken. Toch is dat wat er gebeurt als de digitale laag van onze aura ons bestuurt.

In feite houdt het altijd een gevaar in als een van de lagen van de aura de andere gaat overheersen, want dan raken we ons evenwicht kwijt. Als de mentale laag de touwtjes in handen neemt, worden we te cerebraal. Als de emotionele laag domineert, verdrinken we in onze emoties en verliezen we ons zelfgevoel. En als de fysieke laag domineert, worden we heel primitief in onze omgang met relaties en het leven, en verliezen we onze emotionele intelligentie.

Met andere woorden, als een van de auralagen de andere gaat overheersen, verliezen we ons Zelf en verstoren we onze unieke trillingsfrequentie. De nieuwe digitale laag is bezig bij ons binnen te dringen, op een manier die vergelijkbaar is met hoe een computervirus werkt. De digitale techniek is ontwikkeld om ons leven te vergemakkelijken, maar is nu hard op weg om het te gaan beheersen. Waar gaat dit naartoe?

Velen van ons worden overstelpt door meldingen en updates van onze telefoon. We ontwikkelen een dwangmatige relatie met al die signaaltjes en worden daardoor afhankelijk van deze apparaten. Nu we zo sterk in beslag genomen worden door de digitale techniek, is het heel belangrijk niet het contact met het echte leven te verliezen.

Een eigen kijk op de dingen

Als ik naar een tentoonstelling ga, zie ik vaak dat mensen om me heen niet rechtstreeks naar de schilderijen en tekeningen kijken, maar druk in de weer zijn met hun smartphones om er foto's of selfies van te maken. Hetzelfde zie ik op sportdagen en eindejaaruitvoeringen op scholen. Heel veel toeschouwers kijken niet echt naar wat er gebeurt, maar maken er foto's of een video-opname van, die ze dan later bekijken.

Vanuit mijn perspectief als healer is dat zorgwekkend: dergelijk gedrag voert ons natuurlijk weg van de centrale meridiaan van het nu, en duwt ons naar de meridiaan van de toekomst. Dit veroorzaakt een verstoring in onze levenskracht en betekent een enorm verlies van de kostbare energie van het huidige moment.

Mensen die naar hun leven kijken via het schermpje van hun smartphone krijgen daar maar een heel beperkt beeld van te zien. Ze kunnen niet meer kiezen waar ze naar kijken, want op een scherm zie je alleen wat de camera ziet. Ze kunnen niet meer zien wat zich buiten het blikveld van de camera afspeelt. We moeten ervoor zorgen dat we onze eigen unieke kijk op dingen, de manier waarop wij de wereld om ons heen waarnemen, beschermen. We moeten de wereld op onze manier zien, niet op de manier die onze telefoon voor ons kiest.

Als we onze persoonlijke ruimte willen veiligstellen en onze energie willen beschermen, kunnen we niet om de instandhouding van onze innerlijke ruimte en onze eigen manier van waarnemen heen. Persoonlijk vind ik het zeer verontrustend hoe gemakkelijk wij synchroniseren met het veel snellere tempo van het digitale tijdperk. Onze momenten zijn niet meer van onszelf als we almaar op onze telefoon kijken en onmiddellijk reageren op wat we daar zien. En als deze momenten niet meer de onze zijn, is onze energie ook niet meer van ons. We hebben die weggegeven aan iets of iemand, dat nu de lakens uitdeelt.

Onze energie in de digitale stad

In de tijd van vóór de digitale revolutie was het relatief eenvoudig om je openbare en privéleven gescheiden te houden. In de 'digitale stad' waarin we tegenwoordig leven, zijn veel van onze persoonlijke grenzen vervaagd of zelfs verdwenen.

We delen te veel van ons openbare en privéleven, met als gevolg dat we te kwetsbaar worden. Persoonlijke dingen die we in het verleden meestal niet met anderen zouden delen, zijn nu openbaar bezit geworden. We versturen informatie over ons leven naar iedereen, en zijn daar absoluut niet selectief in. We gebruiken zelfs apps om via social media te delen waar we zijn geweest of op dit moment zijn.

Iemand toelaten in ons leven is een intiem proces en een relatie opbouwen kost tijd. Net zoals we niet iedereen binnenlaten in ons huis, zouden we ook selectief moeten zijn ten aanzien van wie we toelaten in ons virtuele leven. Om onlinevrienden te krijgen delen velen van ons al hun persoonlijke informatie. Vaak gebeurt dat op ongezonde manieren. Gedrag dat voornamelijk bedoeld is om likes te krijgen, of om sympathie te krijgen als dingen fout gaan of bewondering als we iets hebben om over op te scheppen, is voor mij bijna een vorm van exhibitionisme.

In eerste instantie kan zo'n persoonlijke bevestiging een stimulans betekenen, maar het is een kortstondig surrogaat met een bedrieglijk effect. Bovendien werkt het verslavend, omdat de bevestiging zo vluchtig is en we er snel opnieuw behoefte aan krijgen. Dan posten we iets anders wat heel persoonlijk is, in de hoop nog meer likes te krijgen. Als dit zo blijft doorgaan, maken we ons gevoel van eigenwaarde en geluk afhankelijk van de erkenning en aandacht van andere mensen, en dat heeft zijn uitwerking op onze energie. We voelen ons goed als we van een groep virtuele vrienden positieve reacties krijgen, en we voelen ons slecht als die reacties uitblijven. Is dat een gezonde situatie? Nee!

We kunnen bij een virtuele groep horen, maar daarbinnen zijn we fysiek, emotioneel en mentaal minder verbonden met elkaar dan ooit. Social media-platforms verzamelen altijd persoonlijke gegevens, slaan die op en gebruiken die ook; dat mogen we niet uit het oog verliezen. Denk eens na: als jij een dagboek bijhoudt, zou je dan willen dat het bij onbekenden in huis lag die er op elk moment in konden kijken om iets van jou te achterhalen of om jou iets te verkopen? Jouw unieke energetische identiteit staat te koop, zodat jij overspoeld kunt worden met reclame die afgestemd is op jouw trillingsfrequentie.

Digitale immigranten en digitale natives

Zijn wij allemaal slaven van internet? Mensen van de oudere generatie, ook wel 'digitale immigranten' genoemd, zouden deze vraag waarschijnlijk volmondig met 'ja' beantwoorden. Zij weten zich vaak nog wel te verweren tegen de verleidelijke en verslavende aspecten van het digitale tijdperk, omdat ze de tijd nog kennen die eraan voorafging. Ze herinneren zich dat je elkaar in plaats van een e-mail nog brieven en ansichtkaarten stuurde, of dat je de telefoon pakte en met vrienden afsprak om elkaar te ontmoeten.

Jongere mensen, met name de millennials, grofweg geboren tussen 1980 en 1995 en ook wel '*digital natives*' genoemd, hebben er veel meer moeite mee om te voorkomen dat ze helemaal opgeslokt worden door het digitale leven. Dat komt omdat ze zijn opgegroeid met digitale speeltjes en technologie, en geen niet-digitaal referentiepunt hebben. Er zijn zelfs aanwijzingen dat sommige jonge mensen de realiteit ervaren als iets dat zich op een scherm afspeelt, in plaats van binnen in henzelf. Hun interactie met de wereld verloopt helemaal via apparaten, en ze hebben relaties met de avatars van andere mensen zonder rechtstreeks contact met hen te hebben.

Mensen met gebreken?

Het mag een bizar idee lijken, maar de content en het ontwerp van veel elektronische apparaten en onlineprogramma's zijn gebaseerd op het idee dat mensen gebreken hebben, vooral in vergelijking met computers. Ik vind dit alarmerend. Het heeft er veel van weg dat we inmiddels dermate afhankelijk zijn geworden van computers en internet dat we zelf steeds minder nadenken.

Als we bijvoorbeeld iets online willen opzoeken, klikken we meestal een van de eerste hits aan; het komt niet bij ons op om de andere hits te bekijken. Om iets uit te uitrekenen, gebruiken we meestal de calculator van onze telefoon, in plaats van de som zelf in ons hoofd te maken, iets wat voor de voorgaande generatie een tweede natuur was.

Bovenal beginnen we onze computer meer te vertrouwen dan onze intuïtie. Dat is een gevaarlijke ontwikkeling, want onze intuïtie is het beste gereedschap dat we hebben om onze unieke energetische identiteit te verfijnen. Als we niet meer beschikken over onze intuïtie, omdat we de macht volledig in handen hebben gelegd van elektronische apparatuur, is er geen ruimte meer voor authentieke mensen; er blijven alleen nog standaardmensen over. Computerprogramma's worden door mensen gemaakt. Als we onze unieke energetische identiteit aan die programma's overgeven, laten we ons net als robots programmeren door wat iemand anders vindt dat we wel en niet moeten doen en denken.

Wij mensen hebben ons generaties lang ontwikkeld om te kunnen leven in een wereld die zijn eigen snelheid en tempo heeft. Ervaringen van vervulling en van ons ware zelf hebben veel te maken met onze natuurlijke omgeving. Machines kunnen sommige dingen inderdaad sneller doen dan wijzelf, maar als wij alles gaan delegeren naar apparaten verliezen wij ons authentieke bestaan.

Een ambachtelijk leven

Het goede nieuws is dat het ook anders kan. Denk even aan het verschil tussen producten die gemaakt worden door ambachtslieden, en producten die van de lopende band komen. Iets wat door een ambachtsman is gemaakt heeft iets eigens, omdat iets van de persoonlijkheid van de maker is terug te vinden in het product. Producten van een ambachtsman verschillen altijd iets van elkaar, terwijl massaproducten allemaal hetzelfde zijn.

Ik wil je aanmoedigen om als een ambachtsman te leven, als iemand die zijn eigen unieke leven creëert. Natuurlijk kun je bepaalde dingen overlaten aan apparaten, maar dat hoeft niet alles te zijn. Zorg ervoor dat je jezelf niet alleen maar vormt naar de beelden die je op internet voorgeschoteld krijgt. Het is juist goed om uitgedaagd te worden en over dingen na te denken, en om de informatie die je krijgt zelf te verwerken en op je eigen manier met de wereld om te gaan. Je hoeft niet te leven volgens een algoritme dat jou (en anderen) gepersonaliseerde antwoorden geeft of je vertelt hoe je moet leven, zeker niet als dat algoritme ontworpen is om jou iets te verkopen, je te verleiden een serie clickbaits te volgen, of zo veel mogelijk van je persoonlijke gegevens te verzamelen.

Door de hele geschiedenis hebben wij mensen onze eigen gereedschappen gemaakt en gebruikt ten behoeve van onszelf. Ik zou niet willen dat die situatie nu wordt omgedraaid, waardoor onze gereedschappen de baas worden over ons! Gereedschap moet ons mogelijkheden geven, maar mag ons niet reduceren tot passieve toeschouwers die zich in hun naïviteit laten manipuleren door alles wat ze online tegenkomen.

De manipulatie van de tijd

Tot nu toe hebben we het gehad over de manier waarop digitale apparaten de relatie met ons Zelf, onze omgeving en de toestand van onze aura beïnvloeden. Volgens sommige psychologen heeft de technologie daarnaast nog een diepgaande invloed op de manier waarop wij het verstrijken van de tijd ervaren.

De ervaring van tijd is natuurlijk subjectief. Je weet dat vijf minuten in een oogwenk voorbij lijken te zijn als je 's morgens haastig probeert alles op tijd te regelen voor de dag die voor je ligt, terwijl vijf minuten een eeuwigheid duren als je gespannen in de stoel bij de tandarts zit terwijl hij een kies bij je vult!

Heb je je weleens afgevraagd waar ons gevoel van tijd vandaan komt? Wetenschappers hebben een fascinerende ontdekking gedaan: menselijke hersenen hebben een inwendige klok die bestuurt hoe snel wij, afhankelijk van onze omstandigheden, het verloop van de tijd ervaren. Neurotransmitters, onder andere dopamine en norepinefrine, blijken een essentiële rol te spelen in onze beleving van tijd, hoewel nog steeds niet duidelijk is hoe dit precies werkt.

Het komt erop neer dat als wij iets meemaken onze hersenen alle informatie vergaren en verwerken, maar niet noodzakelijk in de volgorde waarin wij die binnenkrijgen. Informatie waarmee we vertrouwd zijn wordt heel snel verwerkt, maar als we met iets nieuws worden geconfronteerd, kost het onze hersenen meer tijd om alle details van de informatie op te nemen en te verwerken. Op zo'n moment ervaren we dat de tijd langzamer lijkt te gaan. Daarom kan een reis die we nog nooit eerder hebben gemaakt, veel langer lijken dan een reis die we voor de zoveelste keer maken.

De hoeveelheid aandacht die wij aan een bepaalde taak geven, heeft ook invloed op onze perceptie van de tijd die daarmee gemoeid is. Een onbekende taak lijkt meer tijd te kosten, omdat we precies registreren wat we allemaal doen. Als we eenmaal vertrouwd zijn met een taak, lijkt het alsof er minder tijd nodig is om die uit te voeren.

Tegenwoordig wordt onze perceptie van tijd echter op nog een andere manier beïnvloed. De voortdurende toegang tot een bijna onbeperkte hoeveelheid nieuws en updates kan de behoefte creëren om dingen onmiddellijk te weten, waardoor zowel de opname van informatie als de beleving van tijd wordt versneld. De technologie zorgt ervoor dat we ongeduldig worden als het langer dan een paar seconden duurt om iets te bereiken; je hebt dit vast weleens ervaren als je een nieuwspagina of een blog doorbladert en niet snel kunt vinden wat je zoekt – uit frustratie klik je het dan maar weg.

Onze extreme betrokkenheid dankzij het internettijdperk kan leiden tot de behoefte aan onmiddellijke voldoening en gebrek aan geduld. We willen alles nu – we willen niet wachten! Helaas leidt dit tot een onvermogen om aandacht te hebben voor onze werkelijke behoeften die hier bovenuit gaan; we zitten gevangen in een vicieuze cirkel van dwingende behoeften en snelle bevrediging.

In het digitale tijdperk wordt de energie van het huidige moment voortdurend verstoord en ondergewaardeerd. De stroom in de sushumna, de meridiaan van het nu, wordt door deze moderne tendens voortdurend gesaboteerd en overgenomen door de dynamiek van de meridianen van verleden en toekomst. En zoals ik eerder al zei: je vermogen om je eigen energie te besturen houdt in hoge mate verband met je vermogen om je te verbinden met het huidige moment.

Je verbinden met het huidige moment

Hoop je een lang leven te hebben? Ik denk dat de meesten van ons daarop hopen. Wil je weten wat daarvoor het geheim is? Als je in staat bent de energie van het huidige moment te beschermen, het moment dat er hier en nu is, dan leef je langer, of eigenlijk: dan voel je je langer levend. Het aantal jaren dat we leven blijft biologisch gesproken natuurlijk gelijk, maar je ervaart die jaren als een veel langere periode. Veel mensen richten zich op een verlenging van het leven; ik wil je daarentegen helpen je besef van tijd te verbeteren. Dan heb je voor je gevoel niet alleen langer, maar ook voller geleefd.

Mindfulness kan je helpen contact te krijgen met het huidige moment, wat je een veel bevredigender leven geeft. Mindfulness heeft talloze voordelen, waaronder een verruiming van je aandachtsboog en verbetering van je geheugen. Mindfulness vertraagt ook je perceptie van tijd, omdat je tijdens de beoefening ervan ten volle betrokken bent bij elk moment, in plaats van die momenten voorbij te laten gaan terwijl je ergens door wordt afgeleid.[1]

Leer jezelf om aandacht te hebben voor de details van wat je aan het doen bent. Behoud een gevoel van verwondering, in plaats van alles als vanzelfsprekend te beschouwen. Hoe meer je verankerd raakt in je feitelijke leven en hoe meer waardering je ervoor hebt, hoe minder je je levenskracht offert op het altaar van een digitaal bestaan. Dat opofferen van onszelf en ons leven gebeurt vaak vanwege een gebrek aan bewustzijn en zelfreflectie. We drijven gewoon mee op de digitale stroom in de richting van een kort moment van echt leven.

Door mindfulness te introduceren in ons leven, en te werken aan een veel gezondere relatie met onze elektronische apparaten, kunnen we onze 'innerlijke metronoom' van de tijd effectief beschermen.

De digitale aura in balans houden

Je vraagt je inmiddels misschien af hoe je dan wel op een goede manier omgaat met de digitale laag van je aura. Ik adviseer je immers niet om al je elektronische apparaten weg te geven en het nieuwe digitale tijdperk af te zweren. Er zijn echter wel enkele belangrijke stappen die wij allemaal kunnen nemen om onszelf te beschermen en onze aura in balans te houden.

Digitale detox

Er wordt tegenwoordig veel gepraat over het belang van een regelmatige digitale detox. Misschien heb jij er zelf ook al eens van gehoord, maar doe je het ook? Voor het geval het een nieuw idee voor je is: zo'n detox wil eenvoudig zeggen dat je elke dag of elke week al je digitale apparaten voor een bepaalde tijd uitschakelt, en iets doet wat niet afhankelijk is van informatietechnologie of elektronische apparatuur.

Je mag zelf kiezen wat dat 'iets' is. Je kunt bijvoorbeeld een babbeltje maken met een vriendin, praten met je partner, of luisteren als je kind vertelt wat het heeft meegemaakt. Of je kunt lekker een wandelingetje maken, naar de vogels in de tuin kijken of met een goed boek wegkruipen op de bank.

Begin klein

Als je jezelf nog nooit hebt getrakteerd op zo'n digitale detox, of een lichte paniek voelt bij de gedachte alleen al dat je geen gebruik kunt maken van je telefoon of je tablet, dan adviseer ik je klein te beginnen. Spreek bijvoorbeeld met jezelf af dat je elke dag tien minuten (of een half uur, als het je lukt) alle elektronische apparaten die je in huis hebt uitzet en iets rustgevends gaat doen voor jezelf. Maak hier een gewoonte van.

Besef wel dat het niet voldoende is om het geluid van je telefoon of computer af te zetten. Uit experimenten blijkt dat we ook afgeleid worden door deze apparaten als ze geen geluid meer maken, maar wel aan blijven staan, vooral als je er dichtbij in de buurt bent. Je zult merken dat je je aandacht gemakkelijker richt op waar je mee bezig bent, als je telefoon in een andere kamer ligt, want pas dan kun je hem even helemaal vergeten.[2]

Houd afstand

Het kan ook helpen om je telefoon in de vliegtuigstand te zetten als je hem niet gebruikt. Dan geeft hij geen signaaltjes en geluidjes meer, en hij geeft ook minder straling af. Als je hem weer wilt gebruiken, zet je hem eenvoudig weer in de normale stand.

Ik zie dat veel mensen hun telefoon in hun broekzak dragen, tegen hun lichaam aan, of in hun hand houden. Dat kan prettig zijn, vooral als je een belangrijk telefoontje of bericht verwacht, maar bedenk wel dat je op deze manier meer blootstaat aan de elektromagnetische velden die een telefoon uitzendt, en dat je hiermee de kans dat je aura besmet raakt enorm vergroot. Je kunt je telefoon beter niet op je lichaam dragen. Gebruik oordopjes als je belt; houd je telefoon niet tegen je hoofd.

Veel mensen hebben een tablet of laptop. Ook bij het gebruik van deze apparaten moeten we proberen ze zo ver mogelijk van ons lichaam vandaan te houden, alweer om jezelf minder bloot te stellen aan elektromagnetische straling. Als je je laptop op je knieën houdt, gaat er toxische elektromagnetische emissie door je lichaam; probeer je laptop daarom op tafel te zetten. Je kunt ook een speciale laptopmat gebruiken, als bescherming tegen deze straling.

Houd je telefoon buiten je slaapkamer

Iets anders wat erg belangrijk is, is dat je je telefoon 's nachts uit je slaapkamer houdt. Heb je hem 's nachts normaal gezien aanstaan en misschien wel op je nachtkastje liggen, zet hem dan af én leg hem in een andere kamer. Denk erom: doe beide dingen!

Mocht je je telefoon 's nachts toch bij je willen hebben, leg hem dan niet op je nachtkastje met het geluid aan om te kunnen horen of er een e-mailtje of bericht binnenkomt. Zet het geluid af, zodat je slaap (en die van je partner) niet steeds wordt gestoord door piepjes. Deze audiosignaaltjes verstoren 's nachts in hoge mate onze energie, omdat we slapen en onze natuurlijke bescherming afwezig is. Onze energiestroom wordt er chaotisch van, doordat de signaaltjes onze trillingsfrequentie verstoren.

Bereikbaar zijn in het digitale tijdperk

Iets anders waar je tegenwoordig op moet letten, is de hoeveelheid tijd waarop je bereikbaar bent voor anderen. Dat kunnen al snel veel meer uren zijn dan je zou denken. Ga eens goed na hoe lang je online bent, en hoe vaak je dagelijks je e-mail en telefoon checkt. Kijk hier realistisch en eerlijk naar, want als je een schatting doet, kom je vrijwel zeker te laag uit.

Zorg er ook voor dat je niet in de val loopt van het idee dat je onmiddellijk moet reageren op binnenkomende e-mails, berichtjes, sms'jes en telefoontjes. Een telefoon of computer hebben, betekent niet automatisch dat je voortdurend bereikbaar moet zijn.

Het klinkt misschien ironisch, maar je kunt apps downloaden die je helpen bij te houden hoelang je met je telefoon of tablet bezig bent. Ik raad je aan om ze te gebruiken, zodat je zicht krijgt op je dagelijkse gebruik. Sommige apps houden bij hoeveel tijd je besteedt aan social media, andere hoe vaak je per dag je telefoon checkt. Zulke informatie kan een eyeopener zijn. Je denkt misschien dat je maar een uur per dag door je social media op de telefoon scrolt, maar het zouden er weleens veel meer kunnen zijn.

Digitale grenzen stellen

Het is erg belangrijk dat je jezelf de ruimte geeft om het digitale leven in je eigen tempo en op je eigen manier te volgen. Er zijn natuurlijk situaties denkbaar waarin je onmiddellijk op een e-mail of een bericht moet antwoorden, maar dat betekent niet dat je telkens als je telefoon of je computer een signaal geeft daar al je aandacht aan moet geven. Als je je erop instelt te reageren zodra er een e-mail of app binnenkomt, ben je je de hele dag aan het haasten!

Daarbij komt dat je anderen zo de gelegenheid geeft om te bepalen wat jouw tempo is en wat jij met je tijd doet. Zo blijft er geen ruimte over voor een authentiek bestaan; je verandert in een marionet. Dit klinkt wat overdreven misschien, maar als je de hele tijd je telefoon checkt of je bezigheden onderbreekt om e-mails te beantwoorden, dan bepalen andere mensen in feite hoe jij leeft. Zij trekken aan de touwtjes – en jij danst naar hun pijpen.

Je moet natuurlijk flexibel zijn en wel direct reageren als dat belangrijk is, maar je moet ook je gezonde verstand blijven gebruiken. Houd dus goed in de gaten welke digitale touwtjes aan je trekken en bepaal welke daarvan jij belangrijk vindt, net zoals je het belang van andere zaken afweegt. Het staat je vrij te besluiten dat andere zaken belangrijker zijn dan deze digitale touwtjes.

In plaats van voortdurend je e-mail te checken, kun je je e-mailprogramma ook afsluiten, zodat je niet steeds in de verleiding komt om even te kijken als er iets binnenkomt. Je kunt dan bijvoorbeeld eens per uur kijken, of elke twee uur, afhankelijk van de omstandigheden. Als je hier eenmaal aan gewend bent, kun je de pauzes tussen deze controles misschien nog wat groter maken. Met social media kun je hetzelfde doen. Je kunt zelfs besluiten de voortdurende meldingen van nieuwe berichten en posts uit te schakelen, zodat je daar door de dag heen niet meer door wordt afgeleid.

Ben je werkelijk geïnteresseerd in al die berichtgevingen? Of leiden ze je eigenlijk alleen maar af van waar je mee bezig bent? In plaats van naar je scherm te staren, kun je praten met mensen om je heen of iets anders doen wat je leuk vindt!

Plan je onlineactiviteiten

Als je toch op een social media-platform actief wilt zijn of een onlinegame wilt spelen, bepaal dan van tevoren hoeveel tijd je daaraan wilt besteden en stel daar een alarm voor in, zodat je weet wanneer je tijd voorbij is. Als je dat niet doet, vergeet je de tijd misschien als je er helemaal in zit; na afloop voel je je dan schuldig of krijg je een hekel aan jezelf, omdat je je tijd hebt verspild. Bedenk dat social media en onlinegames je misschien geen geld kosten, maar je betaalt er wel voor in de vorm van kostbare levenskracht en onbetaalbare huidige momenten.

In de media lees je nogal eens berichten over het aantal uren dat kinderen per dag online zijn. Toch zijn er steeds meer kinderen die klagen over ouders die verslaafd zijn aan hun telefoons en computers. Die ouders hebben geen tijd meer voor hun kinderen, omdat hun aandacht opgeslokt wordt door de digitale technologie. Ouders die een goede relatie met hun kinderen willen, moeten heel zorgvuldig omgaan met hun digitale apparaten en ervoor zorgen dat die hun leven niet beheersen.

Ik geef retraites in kuuroorden, waar de gasten tijdens hun verblijf geen computers of smartphones mogen gebruiken. Vóór de digitale revolutie mochten de gasten niet roken; nu zijn er naast rookvrije zones ook technologievrije zones. Je hoeft echter niet naar een duur kuuroord om jezelf een technologievrije zone te gunnen. Je kunt daar dagelijks of wekelijks thuis voor zorgen. Houd je virtuele en je echte leven gescheiden van elkaar! Richt je aandacht op het een of het ander, maar niet op beide tegelijk. Op die manier ben je ten volle betrokken bij wat je doet en word je niet voortdurend afgeleid.

Tools om je energie terug te krijgen

Nu volgt tot slot een opsomming van tips waarmee je de balans tussen je virtuele en je echte leven kunt herstellen.

1. **Houd je aandacht bij wat op dat moment het belangrijkst is**. Probeer vast te stellen of het niet beter is om een apparaat op een gegeven moment helemaal uit te zetten. Misschien kun je dan je social media niet checken, maar je krijgt wel meer slaap. Of misschien kun je wat meer met je kinderen spelen, in plaats van op te gaan in een onlinespelletje patience, terwijl zij op hun telefoon hun eigen spelletje spelen. Maak er een gewoonte van om je af te vragen: Wat is mijn aandacht het meeste waard?
2. **Leg dat apparaat weg**. Om je weer te verbinden met de mensen die belangrijk zijn in je leven, moet je investeren in echt, dat wil zeggen livecontact als daar gelegenheid voor is. Als je samen bent met vrienden, probeer je dan niet te laten afleiden door je social media-accounts en het beantwoorden van berichtjes. Misschien kun je in hun gezelschap je smartphone of tablet uitzetten. Richt je op een goed contact met de persoon naast je, want een verbinding via schermpjes kan nooit zo voedend zijn als echt, persoonlijk contact. Het is hetzelfde verschil als dat tussen junkfood en gezond eten.
3. **Schakel de notificaties van social media uit**, dan stuurt je computer of telefoon je niet voortdurend signalen.
4. **Richt je op het evenwicht van je chakra's**. Hiermee bescherm je je 'innerlijke metronoom' en je lichaamsklok. Dit zijn de inwendige instrumenten die je helpen om te leven volgens je authentieke 'hartslag', in plaats van volgens de razende digitale puls. Gezonde chakra's zorgen ervoor dat je een gezonde relatie hebt met de wereld om je heen, en dat je niet zo snel overweldigd wordt door je omgeving.
5. **Verbind je met de natuur en met de buitenwereld**. Kijk met je eigen ogen naar de dingen om je heen, in plaats van door de lens van de camera in je telefoon. Houd ermee op je bewondering voor

de schoonheid van de natuur op te vatten als een mogelijk plaatje voor Instagram dat veel likes oplevert. Als je buiten bent, neem dan alles om je heen waar – zoek niet voortdurend naar de perfecte camerahoek. Niet elk moment en elk mooi plekje hoeft vastgelegd te worden en met anderen te worden gedeeld. Leer om van de wereld te genieten en die te waarderen ten behoeve van je eigen voeding en vervulling, in plaats van er gelegenheden in te zien om foto's te maken die je online kunt zetten.

6. **Wees betrokken bij de wereld om je heen en lever daar een bijdrage aan**. Laat meer achter dan een digitale stofwolk.
7. **Maak regels voor het gebruik van je digitale apparaten en houd je eraan**. Neem bijvoorbeeld nooit je telefoon mee naar bed. Schakel je telefoon uit als je een boek leest. Houd eens per week een digitale afkicksessie, een periode waarin je voor een bepaald aantal uren (of dagen) niets met digitale apparaten doet.
8. **Houd je hersenen actief**. Laat keuzes die je moet maken en beslissingen die je moet nemen niet over aan je computer.
9. **Stuur handgeschreven brieven en kaarten**. Probeer met familie en vrienden op de traditionele manier te communiceren, in plaats van hun e-mails en berichtjes te sturen. We mogen deze persoonlijke manier van communiceren niet verliezen. Koop mooi postpapier dat prettig is om op te schrijven, gebruik een fijne pen, zorg ervoor dat je postzegels in huis hebt en herstel de kunst van het brieven schrijven. Stuur je berichten via pen en papier, en geniet ervan om dat te doen.
10. **Maak je zelfwaardering niet langer afhankelijk van likes**. Versterk je zelfvertrouwen en je gevoel van eigenwaarde. Gebruik elke dag de volgende affirmaties om je besluitvaardigheid en je gevoel van eigenwaarde te versterken:
    * 'Ik ben goed genoeg'.
    * 'Vandaag laat ik me niet beheersen door de mening van anderen'.
    * 'Ik leef in het heden en ik heb vertrouwen in mijn toekomst'.
    * 'Ik ben verantwoordelijk voor mijn eigen geluk'.

11. **Ga vertraging van je stofwisseling tegen**. Probeer iedere dag je huid te borstelen en aan lichamelijke beweging te doen. Het is mijn ervaring dat je – als je stofwisseling vlot verloopt – minder snel vastzit in de energie van 'achter de computer hangen'.

Als je het heft meer in eigen handen neemt voor wat betreft je digitale leven, krijg je vanzelf ook meer controle over je leven als geheel; je blijft baas over je eigen energie, in plaats van die weg te geven aan digitale apparatuur.

DEEL V

Het immuunsysteem van de aura

10

Jouw verdedigingsmechanismen

Om ons tegen biologische ziekteverwekkers te beschermen heeft het immuunsysteem van ons lichaam verschillende beschermingsniveaus. Het bevat mechanismen om ziektekiemen in onze omgeving te signaleren, om ze af te weren als ze ons lichaam proberen binnen te dringen, en om ze aan te vallen als ze dat daadwerkelijk doen. Andere mechanismen ontdoen ons lichaam van giftige stoffen en zorgen voor immuniteit in de toekomst. Onze huid, onze slijmvliezen en onze witte bloedlichaampjes maken allemaal deel uit van dit immuunsysteem. Hoest, koorts en diarree zijn aanwijzingen dat ons immuunsysteem actief is en ons lichaam beschermt.

De aurahuid

Wist je dat de aura ook een immuunsysteem heeft, en dat dit volgens min of meer dezelfde principes werkt als ons biologische immuunsysteem? Het kan schadelijke vibraties opsporen en afstoten: de energetische ziekteverwekkers waarover we het in deel III hebben gehad, en die onze authentieke trillingsfrequentie kunnen verstoren, de energievoorraad in onze aura kunnen uitputten en onze gezondheid als geheel kunnen ondermijnen. Je persoonlijke ruimte, die we in hoofdstuk 2 hebben besproken, fungeert als een buffer tussen jouw energiesysteem en de energie van je omgeving. Die ruimte heeft een buitenste grens, die je kunt zien als een uit energie bestaand, lichtgevend membraan.

Sommige healers noemen dit energetische membraan de 'eierschaal van de aura' – je lichaam is in dit beeld dan de dooier. Zelf noem ik het de 'aurahuid'.

Je aurahuid neem energetische ziekteverwekkers waar en zal je altijd attenderen op de aanwezigheid ervan. Voor het afstoten van energetische ziekteverwekkers schakelt de aurahuid over naar zijn tweede verdedigingslinie: het filter- en beschermingssysteem van de aura. Als dit systeem je niet kan beschermen, dringen de slechte vibraties tot in de binnenste auralagen door, waardoor je aura gaat stagneren of geblokkeerd raakt. Dit zou je kunnen vergelijken met een ontsteking die je als gevolg van een infectie oploopt.

Ik wil hier allereerst benadrukken dat, als je aura in balans is en je persoonlijke ruimte en grenzen gezond zijn, je natuurlijke bescherming sterk is en met succes de binnendringende negatieve energie kan afweren of tegenhouden.

Als je moe bent, last hebt van stress, of je emotioneel en mentaal down voelt, dan trekt je aura zich samen, waardoor de bufferfunctie van je persoonlijke ruimte aanzienlijk afneemt. Daarmee verlies je de natuurlijke filters en wordt je unieke trillingsfrequentie in hoge mate blootgesteld aan verstoringen. Als je je natuurlijke verdedigingsmechanismen dus wilt verbeteren, dan moet je je in de eerste plaats bezighouden met het voeden en in balans brengen van je aura.

Energetische bescherming en reiniging

In mijn aanpak om de aura te beschermen tegen energetische ziekteverwekkers en hun toxische vibraties gaat het om twee dingen. Als je mijn concept van energetische bescherming begrijpt, dan begrijp je misschien ook hoe het komt dat het je tot nu toe niet is gelukt om negatieve energie tegen te houden.

We moeten ons dus in de eerste plaats richten op de balans en versterking van onze aura, want daardoor herstellen we onze natuurlijke weerstand. In de tweede plaats moeten we proactief zijn en onze energie reinigen en beschermen. Ik noem dat 'energetische hygiëne'. Je alleen maar bezighouden met heling van je aura zonder te investeren in voorkoming van aantasting ervan, levert je geen bescherming op. Het omgekeerde geldt ook.

Energetisch reinigen wordt steeds populairder, maar helaas maken mensen er alleen in acute situaties gebruik van, bijvoorbeeld als ze al besmet zijn met negatieve energie. Ik wil je vragen om eens goed te kijken hoe jij hiermee omgaat. Probeer te voorkomen dat deze indringers een kans krijgen door ze vroegtijdig op te merken. Ik zal je kennis laten maken met enkele van mijn favoriete technieken voor energetische bescherming. Het voeden van je aura en reinigen van je energiefilters zou een vast onderdeel moeten zijn van je dagelijkse energetische hygiëne en je holistische zelfverzorging, op dezelfde manier zoals je iedere dag je tanden poetst, of zonnebrandcrème gebruikt voordat je in de zon gaat.

Laten we ons eerst bezighouden met de vraag hoe je omgaat met het delen van je energie en de energetische uitwisseling met andere mensen. Een poreuze, niet-waakzame aura is hetzelfde als een uitgeputte aura. Als je op dit punt twijfelt aan jezelf, vraag jezelf dan af: investeer ik mijn energie op een verstandige manier? Spendeer ik te veel energie? Verspil ik mijn energie?

Het is ongelofelijk belangrijk voor je om je er bewust van te zijn hoe je je energie gebruikt, want pas dan ontdek je hoe je schadelijke vibraties kunt opsporen en hoeveel energie de dingen waar je je mee bezighoudt je feitelijk kosten. Alles waar je je mee bezighoudt heeft een prijskaartje in de valuta van je levenskracht. Soms verdien je je investering terug, soms ook niet. Er zijn natuurlijk situaties waarin je geen keus hebt en betrokken raakt in een onevenwichtige, eenzijdige of potentieel schadelijke energetische verbinding. Dat zijn de situaties waarin je de beschermingstechnieken nodig hebt die ik je zal leren.

Bedenk dat niemand de macht heeft om jou te beïnvloeden en te overweldigen, tenzij jij diegene daarvoor, ergens diep vanbinnen, toestemming geeft. We hebben altijd een keus als het gaat om deelnemen aan een energetische uitwisseling. Zoals ik eerder heb uitgelegd zijn we geneigd ons als vanzelf op anderen af te stemmen en gezamenlijke energiegolven te vormen, maar dat is geen excuus om onze unieke trillingsfrequentie dan maar door die golven te laten verzwelgen.

Het is mogelijk om alleen met de buitenste laag van onze aurahuid energetische verbindingen te maken. Zorg ervoor dat alleen positieve en verheffende vibraties jouw persoonlijke ruimte binnenkomen; houd de uitwisseling in andere gevallen oppervlakkig. Wij moeten allemaal streven naar een toestand van assertieve beheersing, en voorkomen dat we een onderdanige slachtofferrol aannemen.

Je eerste verdedigingslinie

Als we omringd worden door biologische ziekteverwekkers, gaan we niezen of onze ogen beginnen te tranen. Dit is de eerste verdedigingslinie van ons fysieke lichaam. Het is de manier waarop ons immuunsysteem voorkomt dat deze schadelijke organismen bij ons binnenkomen. Als we deze ziektekiemen opmerken, kunnen we ze uit de weg gaan of een zakdoek voor onze neus houden.

Onze eerste energetische verdedigingslinie is onze intuïtie. Als we ergens binnenkomen waar een negatieve energie hangt of als we verzeild zijn geraakt in een toxische verbinding, dan stuurt onze intuïtie ons waarschuwingssignalen die aangeven dat we ons moeten beschermen. Onze intuïtie zendt trouwens voortdurend allerlei signalen naar ons uit, maar wij geven daar doorgaans geen aandacht aan; omdat we ons alleen bezighouden met wat het ego ons vertelt. Het ego creëert bij alles een gevoel van urgentie, waardoor we vergeten stil te staan bij ons bewustzijn van het huidige moment. Als we weinig vertrouwen hebben in onszelf, vertrouwen we ook onze intuïtie niet.

Het is belangrijk om te beseffen dat onze intuïtie het eerste verdedigingsmechanisme van onze aura is dat verdwijnt als ons lichaam vol ongezonde rommel zit. Als we onze intuïtie willen gebruiken, is gezonde voeding heel belangrijk. Als we niet gezond eten, wordt onze innerlijke stem verstikt door de lagen van gifstoffen die we verzameld hebben.

Onze intuïtie denkt niet, maar weet, en communiceert met ons via de zintuigen. Dit is helaas precies de reden waarom wij onze intuïtie zo vaak negeren: haar boodschappen stroken namelijk niet altijd met wat onze logica ons op dat moment vertelt. Pas achteraf, als er wat tijd is verstreken, worden wij ons bewust van het hele plaatje en beseffen we wat er achter dat eerste onderbuikgevoel zat.

Veel mensen zijn ervan overtuigd dat we ervoor moeten zorgen dat we alles krijgen wat we hebben willen. Daarmee blokkeren we echter onze intuïtie, want die verwoordt alleen wat we echt nodig hebben. Als verwende kinderen rennen we achter onmiddellijke bevrediging van onze behoeften aan, zonder te stoppen om na te denken over de gevolgen daarvan voor ons authentieke zelf en onze energiereserves.

Er wordt weleens gezegd dat je de waarheid kunt herkennen aan hoe die aanvoelt. Dat is precies wat ik bedoel: geef aandacht aan je zintuigen. Dit zijn de meest gebruikelijke manieren waarop onze intuïtie met ons communiceert:

* Door middel van ons lichaam of onze zintuigen. Daaronder vallen ook kippenvel krijgen, vlinders in je buik hebben, misselijk worden, koude rillingen hebben, hartkloppingen krijgen, het gevoel krijgen dat je moet maken dat je wegkomt, dagdroomachtige visioenen hebben, en last hebben van een ongrijpbare rusteloosheid.
* Door middel van dromen en symbolische aanwijzingen.
* Door een bijna hoorbaar innerlijk stemmetje dat dingen zegt als 'dit is waanzin' of 'dit voelt goed'.

Als je eenmaal geleerd hebt om je intuïtie te herkennen en te vertrouwen, kun je daarmee de energetische toestand van je omgeving vaststellen. Zonder je intuïtie loop je zomaar energetisch ongezonde situaties in, of verbind je je met mensen die je energetische evenwicht ondermijnen.

Je intuïtie aanscherpen

Hier zijn enkele manieren om meer vertrouwd te raken met je intuïtie en die aan te scherpen:

1. Mediteer iedere dag vijf tot tien minuten in stilte. Ga daarvoor ergens zitten waar geen lawaai is.
2. Eet geen junkfood meer en gebruik geen cafeïne of andere opwekkende middelen.
3. Doe de wisselende-neusgatademhaling om je bewust te verbinden met de sushumna, de meridiaan van het nu.
4. Geef aandacht aan je derde-oogchakra, die je zesde zintuig bestuurt en het mogelijk maakt om dingen helder waar te nemen.

Je tweede verdedigingslinie

Je persoonlijke ruimte is je cocon en fungeert als een uitwisselingsruimte tussen de kern van je aura en je omgeving. Je herinnert je waarschijnlijk dat ik deze ruimte vergeleken heb met een buffer en met een filter: externe vibraties moeten daardoorheen om je unieke energetische identiteit te beschermen.

Je persoonlijke ruimte is je tweede verdedigingslinie. Als je er goed voor zorgt, kan het een veilig toevluchtsoord voor je zijn. Je persoonlijke ruimte maakt het je mogelijk om je balans terug te vinden als je die kwijt bent geraakt; hier kun je je weer verbinden met je geestverwanten.

Je persoonlijke ruimte functioneert op een gezonde manier als je jezelf omringt met mensen die op dezelfde golflengte zitten als jij. Als je je weg zoekt te midden van de toxische vibraties van problemen en moeilijke omstandigheden, fungeert deze positieve synchronisatie als een krachtig hulpmiddel om je energie weer in balans te brengen. Een gezonde persoonlijke ruimte zorgt er ook voor dat je veel minder geneigd bent om toxische relaties aan te gaan.

Je herinnert je vast wel een moment waarop je ergens kwaad over was, of een probleem waardoor je van slag was of je overweldigd voelde.

Toen je vervolgens een poosje in gezelschap was van goede vrienden, dierbare familieleden of geestverwanten, voelde je je een stuk beter. Het gevoel dat je ergens bij hoort, dat je ergens thuis bent, is een aangeboren menselijke behoefte. Deze behoefte is ontstaan uit het huidcontact en de positieve hechting met je moeder of primaire verzorger.

Positieve banden aangaan met mensen en andere levende wezens (zoals huisdieren) versterkt onze perceptie. Een evenwichtige perceptie is belangrijk voor de instandhouding van gezonde energetische filters. Problemen en moeilijkheden die in ons denken groot en dreigend lijken, krijgen zo hun normale proporties terug en soms vinden we opeens oplossingen voor problemen die daarvoor nog uitzichtloos leken. Op deze manier beschermen we onszelf tegen de energetische ophoping van onopgeloste problemen.

Isolement tegengaan

Tot mijn spijt heb ik moeten constateren dat wij in het Westen als gevolg van onvoldoende auravoeding steeds meer lijden vanwege een gebrekkige aurabescherming en -immuniteit. Dit komt doordat we te weinig belang hechten en daarmee te weinig tijd besteden aan het cultiveren van positieve verbondenheid en resonantie met andere mensen. Heel veel mensen doen niet meer dan mensen om zich heen verzamelen, in plaats van zich met mensen te verbinden. Ze gaan geen connectie meer met hen aan, maar leggen er een collectie van aan.

Dit betekent feitelijk dat de aura dichtslibt in plaats van gevoed wordt. Iemand heeft bijvoorbeeld talloze kennissen, maar kan niemand daarvan als echte vriend aanduiden. Je kunt honderden vrienden hebben op social media, en toch niemand weten die je kunt bellen als je problemen hebt waarover je wilt praten. Je hebt niemand die je gezelschap houdt.

Zoals je waarschijnlijk wel weet, kun je je in gezelschap van mensen heel eenzaam voelen. Het gaat om de kwaliteit van de verbinding die je met iemand hebt. De hoeveelheid contacten die je hebt is niet van belang. Telefoons, tablets en computers zijn fantastische apparaten, maar ze isoleren ons steeds meer van de wereld om ons heen.

Als je de volgende keer naar buiten gaat, kijk dan eens goed om je heen. Hoeveel mensen kom je tegen op straat die niet kijken waar ze naartoe gaan, of zien wie ze op straat passeren? Ze staren naar hun telefoon, volkomen in beslag genomen door wat daarop te zien is, en verwachten dat iedereen voor ze aan de kant gaat.

Als je weer eens in een bar, koffiehuis of restaurant bent, let er dan eens op hoeveel mensen fysiek wel bij elkaar zitten, maar emotioneel geen verbinding hebben. Ze praten niet met elkaar, maar staren naar het schermpje van hun telefoon of tablet, en gaan op in hun eigen wereldje. Hetzelfde gebeurt bij veel mensen thuis; iedereen zit vastgeklonken aan zijn eigen apparaat en er wordt niet met elkaar gepraat. In sommige huishoudens sturen de mensen elkaar zelfs berichtjes als ze iets willen vragen of vertellen, in plaats van echt met elkaar te praten!

Hoewel deze vorm van emotioneel isolement in de huidige wereld dan misschien steeds normaler mag lijken, leidt die onherroepelijk tot chronische tekorten in onze aura. Eenzaamheid heeft epidemische vormen aangenomen. Miljoenen mensen zeggen dat ze eenzaam zijn en het echte contact met andere mensen enorm missen.

Kijk daarom eens of je meer tijd kunt besteden aan livecontact met anderen, in plaats van met hen te communiceren in chats. Kleine dingen die nauwelijks belangrijk lijken, kunnen veel invloed op ons hebben; denk bijvoorbeeld aan oogcontact maken met de persoon die je in een winkel helpt. Alleen al glimlachen kan een anoniem contact omtoveren in iets oprechts en persoonlijks.

Geef aandacht aan de mensen die je in je leven aantrekt en doe een beetje moeite om hen te leren kennen. Probeer in plaats van standaardvragen – zoals waar iemand woont of wat iemand doet voor de kost – eens te vragen naar wat zijn passies zijn en wat hij voelt.

Het is altijd verrijkend om een positieve band met mensen aan te gaan, door je samen in te zetten voor anderen of iets goeds te doen voor de wereld, bijvoorbeeld in vrijwilligerswerk. Gezamenlijke doelen en gedeelde waarden leveren positieve golven op die je energetische ruimte versterken.

Poortwachters van jouw waarheid

Zoals gezegd wordt onze persoonlijke ruimte bepaald door de grens ervan, de aurahuid, die tevens deel uitmaakt van onze tweede verdedigingslinie. Nogmaals, als je aura in balans is en resoneert met je authentieke trillingsfrequentie, dan is de buitenste membraan flexibel en goed in staat om dissonante vibraties af te weren.

Ik wil hier nog eens benadrukken dat gezonde psychologische grenzen een essentieel onderdeel uitmaken van het immuunsysteem van je aura. Dankzij je intuïtie, je eerste verdedigingslinie, ben je je bewust van wat er wel en niet met jouw unieke trillingsfrequentie resoneert.

Als je dit als uitgangspunt neemt, kun je jouw waarheid aangeven door met behulp van de woorden 'ja' en 'nee' verbaal je grenzen aan te geven. Zoals eenzaamheid je persoonlijke ruimte aantast, zo trek je met 'ja'-zeggen tegen iets waarbij je 'nee' voelt je aurahuid kapot, waardoor je aura vatbaar wordt voor misbruik. Zie je persoonlijke grenzen liever niet als constructies die bedoeld zijn om mensen buiten te sluiten. Een gezonder beeld is dat van een mechanisme waarmee je voorkomt dat jij jezelf beschadigt en in een energetisch toxische omgeving terechtkomt. Beschouw je grenzen als poortwachters van jouw waarheid en authentieke levenskracht.

Nu je vertrouwd bent met de principes van het immuunsysteem van je aura, kunnen we dieper ingaan op het thema 'bescherming'. Ik zal mijn favoriete tips voor een goede zorg voor je beschermingslagen met je delen.

Ik wil je vooral leren hoe je je aura versterkt en hoe je kunt afstemmen op de unieke trillingsfrequentie ervan, zodat jij zult gaan aantrekken wat werkelijk bij je hoort. Dit is absoluut van wezenlijk belang als je verantwoordelijkheid wilt nemen voor je eigen energie en ermee wilt leren werken. Als je namelijk niet beschermd bent, ben je een speelbal van het verkeer van binnendringende golven en verlies je je energetische identiteit. En zoals je inmiddels weet, zijn al je inspanningen om tot een duurzame gezondheid te komen dan tevergeefs.

11

Strategieën voor een effectieve bescherming

In de rest van dit deel leer ik je enkele nuttige oefeningen waarmee je jezelf kunt beschermen tegen toxische energie. Maar eerst wil ik je een paar tips geven over het juiste gebruik ervan. Zoals met veel dingen in het leven wordt het eindresultaat bepaald door een doelmatige beheersing en toepassing van de techniek.

Hoe je op de juiste manier visualiseert en mediteert

We trainen onszelf meestal niet in een juist gebruik van visualisatie en meditatie; de versie van de techniek die we gebruiken is vaak maar een slap aftreksel, en de resultaten blijven beperkt. Je kunt veel voordeel hebben van een verfijnde, tot in detail uitgewerkte vorm van meditatie en visualisatie.

Stap 1: een voorwerp met je blik 'aanraken'

Om te beginnen moet je je verbeelding uitbreiden. Verbeelding is een van de beste tools voor het werken met energie, meditatie en visualisatie. Je gaat een voorwerp aanraken, eerst met je vingers en dan alleen met je blik. Je kunt voor deze oefening elk willekeurig voorwerp gebruiken, denk bijvoorbeeld aan een vaas met bloemen. Kies liever geen huisdier, want beweging kan je afleiden.

Intentie: je verbeelding trainen. Als je je deze techniek niet eigen maakt, kun je de geleide visualisaties niet op een efficiënte manier uitvoeren. Je doet ze dan slechts eendimensionaal, waardoor ze niet goed werken.

Het is erg belangrijk dat je je ogen openhoudt als je deze oefening doet. Oefen je één of twee minuten in deze techniek, twee of drie keer per dag, een week lang, en richt je aandacht steeds op een ander voorwerp.

1. Kies om te beginnen een voorwerp waarop je je aandacht wilt richten.
2. Pak het vast, zodat je zo veel mogelijk aspecten ervan voelt.
3. Zet het voorwerp neer, ga erbij zitten en 'raak het aan' met je blik. Laat je verbeelding je vertellen hoe het voorwerp aanvoelt. Voel het gewicht ervan, of het warm of koud is, hoe het oppervlak ervan voelt. Glimt het of is het mat? Voelt het oppervlak prettig? Stel je alle aspecten van het voorwerp zo gedetailleerd mogelijk voor.
4. Na een of twee minuten zet je het voorwerp in gedachten terug op zijn plaats.

Stap 2: creëer een energetische dubbel

Vervolgens ga je visueel een energetische kopie van jezelf maken. Dit wordt jouw innerlijke helper. Het is een miniatuurversie van jezelf, die je hier en in een andere oefening verderop gaat gebruiken. Als je wilt, kun je deze energetische dubbel een andere naam geven – zorg er wel voor dat het een positieve naam is, een naam waarbij jij positieve associaties hebt. Het is deze energetische miniatuurdubbel die jouw mini-ik wordt. Als je bidt om hulp of kracht, kun je je in plaats van een godheid ook deze energetische dubbel voorstellen. Op deze manier vergroot je het vertrouwen in je onbegrensde innerlijke mogelijkheden, en versterk je het vertrouwen dat je genoeg hebt aan jezelf.

Intentie: visueel een levendige energetische vorm creëren van jouw miniatuurdubbel.

1. Ga rustig zitten en sluit je ogen.
2. Steek in gedachten de handpalm van je dominante hand uit (als het helpt, kun je je handpalm daadwerkelijk uitsteken) en stel je voor dat daar een miniatuurversie van jezelf op zit.
3. Stel je dit figuurtje met zo veel mogelijk levendige en positieve details voor – het haar, het gezicht, het lichaam. Stel je voor dat je energetische dubbel jouw lievelingskleren aan heeft en naar je glimlacht. En glimlach terug!
4. Bedank je energetische dubbel er in gedachten voor dat hij of zij zich aan je laat zien, en vraag of hij of zij weer wil komen als jij hulp nodig hebt.
5. Stel je nu voor dat je energetische dubbel oplost of vervliegt. Doe dan langzaam je ogen weer open.

Stap 3: creëer een intentie

Veel mensen vergeten deze stap, maar hij is essentieel. Met een intentie creëer je een voertuig waarmee je iets kunt ontvangen. Bovendien bepaal je met een intentie altijd van tevoren wat je aantrekt. Zorg er dus voor dat je, voordat je een meditatie of een geleide visualisatie doet, altijd een intentie creëert.

Verwoord je intentie helder en duidelijk in je gedachten, voordat je verdergaat met de energetische oefening. Als je bijvoorbeeld een geleide visualisatie wilt doen en als je je daarbij ontspannen en beschermd wilt voelen, zeg je in gedachten: ‘Ik draag deze meditatie op aan mijn ontspanning’. Of: ‘Ik heb de intentie om met deze visualisatie mijn aura te beschermen’.

Stap 4: gebruik affirmaties op de juiste manier

Dit is ook een heel belangrijke stap, die helaas niet door iedereen wordt onderkend. Spreek affirmaties altijd uit in je moedertaal, de taal die je de eerste acht of tien jaar van je leven sprak. Je aura en je onderbewuste reageren daar veel sterker op.

Affirmaties werken veel krachtiger als je ze hardop uitspreekt, terwijl je naar jezelf kijkt in de spiegel. Ik raad je ook aan om je niet-dominante hand te gebruiken als je affirmaties opschrijft. Het ziet er misschien niet zo mooi uit, maar het werkt effectiever.

Kies de woorden voor je affirmaties zorgvuldig. Zorg ervoor dat het altijd positieve woorden zijn; ze mogen geen enkele negatieve lading dragen. Als je bijvoorbeeld wilt helen van een ziekte, moet je in je affirmatie niet verwijzen naar die ziekte. Als je dat wel doet, registreert je onderbewuste namelijk de ziekte en zal het je er meer van geven, wat natuurlijk het laatste is wat je wilt. Affirmeer wat je wilt altijd op een positieve manier, gericht op je uiteindelijke doel, en dus niet op het probleem dat je probeert op te lossen. Hier zijn een paar voorbeelden van positieve affirmaties:

* 'Ik heb meer dan voldoende energie' in plaats van 'Ik ben niet moe'.
* 'Ik heb overvloed' in plaats van 'Ik heb meer geld nodig'.
* 'Ik ben volkomen gezond' in plaats van 'Ik ben niet langer ziek'.
* 'Mijn leven is vol vreugde' in plaats van 'Ik ben niet verdrietig'.

Hoe je meditaties afsluit

Meditatie- en visualisatieoefeningen werken krachtiger als je ze combineert met een lichamelijke activiteit. De reden daarvoor is dat je je beide hersenhelften gebruikt als je actief bent. Bovendien is mediteren voor westerlingen gemakkelijker in combinatie met een bezigheid. Bij veel oefeningen in dit boek wordt verbeelding gecombineerd met een lichamelijke activiteit. Mijn manier om een meditatie te beëindigen is ook een combinatie van deze twee:

* Tegen het eind van een meditatie sta je op; je houdt daarbij je ogen gesloten en je verplaatst je voeten niet. Beweeg gedurende 15 tot 20 seconden je lichaam heen en weer, alsof het een pendel is.
* Terwijl je dat doet, stel je je voor dat je je binnen in een draaiende, regenboogkleurige spiraal van energie bevindt, zoals die van een papieren windmolentje.
* Zeg nu: 'Ik ben de energiestroom. Ik word door de energiestroom beschermd. Ik ben de stroom'. Open vervolgens je ogen.

Dit is een uitstekende manier om jezelf te verankeren in lichtheid en bescherming, ongeacht je intentie voor deze oefening. Als je je meditaties liever zittend afsluit, beweeg dan je bovenlichaam in het rond. Je kunt dit zelfs in bed doen, mocht je dat willen. Doe gewoon net zo veel als jouw lichamelijke vermogens toelaten.

De kracht van afstand nemen

Zoals we besproken hebben is je afstemmen op anderen een natuurlijk, gezond en instinctief vermogen. Dat houdt natuurlijk niet in dat je slachtoffer van die anderen wordt, door je 24 uur per dag door hen en hun eisen te laten beheersen. Net zoals onze andere speciale zintuigen is dit vermogen bedoeld om ons te dienen. Dat betekent dat we onze gevoeligheid voor energie moeten cultiveren in plaats van haar te benaderen met angst of een andere heftige reactie.

Het is een kwestie van trillingen observeren of erin betrokken raken. Iets observeren, zodat je er enige afstand van hebt en je onderscheidingsvermogen kunt gebruiken, is iets anders dan er automatisch in betrokken raken. Vaak merk ik dat mijn cliënten bang zijn voor hun toegenomen gevoeligheid of verhoogde intuïtie die het resultaat kan zijn van een healing, maar dit zijn juist onze grootste bondgenoten als het gaat om het activeren van authentieke beschermende krachten. Net zoals we niet blind worden als we iets onaangenaams zien, moeten we onszelf ook niet verdoven voor de vibraties van de moeilijke dingen die we in ons leven tegenkomen.

Zoals gezegd beschikken wij over het vermogen om te kiezen en over bewustzijn. Dat betekent dat we een situatie of een persoon kunnen verlaten als we ons er ongelukkig bij voelen, zodat we die niet langer hoeven te ervaren. Soms is het natuurlijk onmogelijk om weg te gaan, maar dan nog kunnen we een neutrale toestand creëren. (Ik zal je verderop uitleggen hoe je dat doet.) Nogmaals, vergeet niet dat iets je alleen kan beïnvloeden als jij daar toestemming voor geeft. Omgeven worden door toxische energieën betekent niet noodzakelijk dat die energieën jou ook binnendringen en een deel van jou worden. In elke situatie heb je het vermogen om sterk, geworteld en heel te zijn en te blijven.

Observeermeditaties

Hier volgen twee meditaties die je kunnen helpen om je leven te observeren zonder afgeleid of beïnvloed te worden door je reacties of je emoties. Zorg voordat je een van deze meditaties doet, voor een intentie om te begrijpen waarom je ze doet; een juiste voorbereiding hierop is even belangrijk als de meditaties zelf.

Beide meditaties vragen van je om gebruik te maken van je verbeelding. Als je daar niet vertrouwd mee bent, kan dat in het begin lastig voor je zijn. Gebruik dan eerst de stap-voor-stap-oefening uit het begin van dit hoofdstuk om je verbeelding te leren gebruiken. Houd vol; het kost nu eenmaal tijd om je verbeeldingskracht te ontwikkelen.

Wanhoop niet en oordeel niet over jezelf. Begin met beelden die goed werken voor je en vertrouw erop dat je intentie om deze meditaties te gebruiken je goed zal doen, zelfs als je in het begin het gevoel hebt dat ze niet helemaal gaan zoals je zou willen. Hoe meer van je zintuigen je bij je visualisaties betrekt, hoe krachtiger ze zullen worden.

Om dingen te kunnen observeren moeten we onszelf eerst in een bepaalde staat van zijn brengen. Dat gaat namelijk niet meer vanzelf, zeker niet nu we blootstaan aan zo veel prikkels van buiten waarover we geen controle hebben. Je kunt deze staat van zijn van de waarnemer zien als een standaardinstelling van je computer; telkens als je overweldigd wordt, kun je de neutrale standaardinstelling van waarnemer terughalen. Dat is een van de beste manieren om goed voor je persoonlijke ruimte te zorgen.

De neutrale toestand

Voor deze meditatie kun je staan of zitten. Zorg ervoor dat je enige tijd niet gestoord of afgeleid kunt worden, zodat je jezelf volledig op de meditatie kunt richten. Blijf ermee oefenen totdat het je lukt de neutrale toestand te bereiken.

Intentie: een gevoel van harmonie creëren en een neutrale toestand bevorderen waarin je jezelf kunt beschermen, je energie kunt versterken en emotionele druk waar anderen je mee belasten kunt wegleiden van jezelf.

* Stel je je energetische dubbel voor (zie stap 2 aan het begin van dit hoofdstuk).
* Stel je dan voor dat deze dubbel boven op je hoofd staat. Zorg ervoor dat je energetische dubbel klein genoeg is om af te kunnen dalen in je grote (lichamelijke) zelf. Verplaats je bewustzijn en je aandacht naar je energetische dubbel. Vereenzelvig je er compleet mee.
* Langzaam maar zeker daal je hangend aan een parachute af in het hoofd van je grote zelf. Als je daar eenmaal bent aangekomen, merk je dat je door de wolken naar beneden zweeft. Het kan hier mistig zijn of onweersachtig. Je kunt bliksemflitsen zien en donderslagen horen. Stel je nu voor dat er zonnestralen door de donkere wolken breken, terwijl jij heel langzaam verder naar beneden zakt.
* Je bereikt het niveau van de keel van je grote zelf, de nek. Je glijdt nu door de blauwe lucht steeds verder naar beneden door het keelgebied. Je zakt door je schouders en je borst naar beneden. Als je het niveau van je maag bereikt, ben je op de grond aangeland. Je voelt de zachtheid en de warmte van de bodem. Door de frisse geur van verse kruiden raak je ontspannen. Vervolgens daal je nog verder af.
* Net onder je navel ontdek je een prachtig blauw meertje. Er wacht een bootje aan de oever. Je gaat in het bootje zitten, dat vervolgens het stille water op vaart.
* Vanaf het bootje kun je in de diepte van het water kijken en waterlelies zien drijven op het wateroppervlak. Heb je ooit gezien hoe waterlelies drijven en hun bloemblaadjes openen? Het is een beeld dat nergens mee te vergelijken is. Het verdient je onverdeelde aandacht nog wat langer, dus observeer het; denk nergens anders aan. Blijf in je binnenwereld. Rust in de wereld van jezelf. Observeer je ademhaling.

* Je ademt nu bijna door je kruin. Via je kruin komt lucht uit je omgeving binnen, lucht van de hogere niveaus, niet bezoedeld door de energie van andere mensen. Het lijkt wel of je een holle pilaar boven op je hoofd hebt, die licht is, zowel van kleur als van gewicht. Dankzij deze pilaar kun je lucht van de hogere niveaus van de atmosfeer naar beneden halen.
* Samen met deze lucht neem je ook licht op. Dit licht adem je vervolgens in. Laat het kleine zelf, dat zo prachtig in jou rust op het blauwe meertje van je innerlijke wereld, dit prachtige licht aannemen als een kostbaar geschenk.

De volgende oefening is geschikt om een neutrale toestand te creëren, met name als je met moeilijke situaties te maken hebt.

De periscoop

Als je deze en de vorige oefening hebt gedaan, kun je onderzoeken welke jij het prettigst vindt. Je kunt er, afhankelijk van je omstandigheden, ook een combinatie van maken.

Intentie: jezelf de gelegenheid geven om in elke situatie het grote geheel te zien, zodat je er verstandig en met een zekere afstandelijkheid op kunt reageren.

1. Stel je voor dat je een periscoop laat komen uit je kruinchakra. Laat die omhooggaan totdat hij een meter lang is.
2. Kijk via deze periscoop naar de wereld om je heen. Merk op hoe anders alles er vanuit dit ongebruikelijke perspectief uitziet.
3. Je kunt nu, telkens als je met een moeilijke situatie wordt geconfronteerd, onmiddellijk je periscoop erbij pakken en observeren wat er aan de hand is. Je zult merken dat je de situatie dan veel gemakkelijker oplost, op een verstandige, meer onthechte manier.

Haal van tijd tot tijd je periscoop tevoorschijn en kijk naar je leven door dit glas, alsof je in een theaterzaal zit en naar een film kijkt. Op deze manier krijg je een veel duidelijker, minder vertroebeld beeld van je problemen en omstandigheden.

Je houding veranderen

Dankzij ons bewustzijn en ons vermogen om te kiezen kunnen wij onszelf vaak van een last bevrijden of die verlichten. We nemen dan tegenover een gebeurtenis of een persoon die ons verdriet, pijn of boosheid bezorgt een andere houding aan. Veel van wat ons in ons leven overkomt is in feite neutraal; de gebeurtenissen zelf zijn niet positief of negatief. Het is de houding die we ertegenover aannemen die ons de indruk geeft dat een gebeurtenis goed of slecht is. Overigens zijn er natuurlijk situaties die echt tragisch te noemen zijn.

Als we moe zijn of als een persoon of gebeurtenis ons herinnert aan iets uit het verleden dat moeilijk voor ons was, kunnen we ons gaan ergeren en allerlei emoties koppelen aan die persoon of gebeurtenis. Vaak reageren we instinctief, maar dat hoeft niet per se een automatische reactie te zijn. Onze houding tegenover mensen en omstandigheden staat niet los van de keus die we maken ten aanzien van onze kijk erop, of van de manier waarop we ze interpreteren.

Probeer jezelf aan te leren om een neutrale pauze in te lassen voordat je je een mening vormt. Je kunt je ook de levenshouding aanmeten van een van mijn vriendinnen, die zegt: 'Ik zie alles positief, tenzij het tegendeel bewezen is'.

Zie het grote geheel

Mijn favoriete uitspraak van de Dalai Lama is: 'Soms heb je als je niet krijgt wat je verlangt enorm veel geluk'. Bij momenten, met name die waarin we teleurgesteld of ontmoedigd zijn omdat dingen anders lopen dan we graag zouden willen, verliezen we de kijk op het grote geheel.

Pas later in het leven zien we in waarom sommige dingen liepen zoals ze gelopen zijn, en begrijpen we dat het uiteindelijk voor ons eigen bestwil was, ook al beseften we dat op het moment zelf niet. We moeten altijd rekening houden met een andere uitkomst dan die we graag wilden of gepland hadden. We moeten beseffen dat onze waarneming beperkt kan zijn geweest, omdat het universum ons niet het complete plaatje heeft laten zien; soms zien we maar een klein deel ervan.

Als je je concentreert op iets wat je heel graag wilt, weert je aurahuid iets af wat mogelijk heel nadelig is voor datgene wat je echt nodig hebt. Wij Russen zeggen dan: 'Wat er gebeurt, is het beste!'

Het verleden oprakelen

Denk je vaak na over wat er in het verleden is gebeurd? Ben je geneigd te blijven piekeren over de moeilijkheden die je zijn overkomen, in plaats van aan de goede dingen te denken? Het is heel belangrijk om pijn uit het verleden niet over de grenzen te laten komen van wat er nu gebeurt. Vroegere gebeurtenissen kunnen je enorm hebben gekwetst, maar het zijn spoken uit het verleden; ze zijn niet wat er nu gebeurt.

Vaak is blijven denken aan een gebeurtenis veel schadelijker dan die gebeurtenis zelf. Wrokgevoelens kunnen aan je ziel vreten, want ze tasten jouw energie aan, niet die van de persoon of gebeurtenis die je zo verafschuwt. Het is zoals Nelson Mandela zei: 'Wrok is als zelf vergif drinken en hopen dat je vijanden eraan doodgaan'.

De afwisselende-neusgatademhaling uit de yoga is heel heilzaam in deze gevallen, want de energie van de ida, de meridiaan van het verleden, neemt erdoor af en die van de sushumna, de meridiaan van het nu, wordt erdoor versterkt. Je kunt ook de volgende meditatie proberen.

Laat je licht schijnen

Dit is een goede meditatie om jezelf mentaal en emotioneel los te maken van een traumatische of problematische situatie die je maar niet uit je hoofd kunt zetten. Kies een moment waarop je alleen bent en niet wordt gestoord. Schakel alle elektronische apparaten uit, zodat ze je niet kunnen afleiden.

Intentie: jezelf helpen bij het helen van je emotionele respons op een situatie uit het verleden.

* Ga prettig zitten, op een stoel of in je favoriete meditatiehouding. Haal drie keer diep adem en voel hoe je ontspant. Sluit je ogen.
* Stel je voor dat je in een theater zit en dat de traumatische of vervelende gebeurtenis op het podium wordt nagespeeld. Jij kijkt er vanuit de verduisterde zaal naar.
* Stel je nu voor dat de waarnemer in jou, die in de zaal zit, een zaklamp heeft. Houd die omhoog, zet hem aan en richt de lichtbundel op het podium. De zaklamp heeft zo'n helder licht dat het bijna verblindend is. Beschijn met dit licht een poosje alle kanten van de scène op het podium, totdat je emotioneel niet meer door de gebeurtenis verteerd wordt en op een natuurlijke manier overstapt naar een neutraal, afstandelijk standpunt - de positie van de waarnemer.
* Als je klaar bent, doe je de zaklamp weer uit en verlaat je het theater.
* Kom terug in je lichaam en wees weer aanwezig in de kamer.

Als je deze oefening hebt gedaan, kun je je nog steeds de moeilijke situatie herinneren, maar je hebt de emotionele inkleuring eruit gehaald, en dat is wat belangrijk is. De situatie zal steeds minder een energetische greep op je hebben.

12

Veiligheidsmaatregelen

Als je iets moet doen waar je niet schoon bij kunt blijven, doe je handschoenen en eventueel een overjas aan, nietwaar? Sommige mensen dragen rubberhandschoenen als ze de afwas doen of hun huis poetsen, een schort als ze in de keuken bezig zijn, of een stofmasker als ze gaan zagen of schuren.

Dit zijn allemaal maatregelen, bedoeld om je lichaam te beschermen en te voorkomen dat je vies wordt of dat je ergens mee besmet raakt. Je weet inmiddels dat je aura ook beschermende maatregelen nodig heeft bij blootstelling aan energetische ziekteverwekkers. Deze maatregelen dienen ook om je tegen andere energetische gevaren te beschermen.

Ik wil dat je meester wordt van elk moment, ofwel dat je de baas blijft over je eigen energie en je beschermingsschild optrekt als iets de authentieke stroom van jouw energie bedreigt. Je moet ook in staat zijn om schadelijke vibraties die zich aan jouw aurahuid hechten af te schudden of te neutraliseren, zodat deze negatieve energieën niet als splinters je aura binnendringen.

Ik heb gemerkt dat mensen het onderwerp van energetische bescherming vaak wat angstig en gedwee benaderen, alsof ze zich heel kwetsbaar voelen. Het is goed om je te realiseren dat angst je onderuit kan halen; denk bijvoorbeeld aan wat er gebeurt met een bokser die zich al voordat de wedstrijd begint verslagen voelt. Vandaar dat ik je wil aanmoedigen om de energetische beschermingsmethoden in dit hoofdstuk op dezelfde niet-emotionele manier uit te voeren als wanneer je een douche neemt of rubberen handschoenen aantrekt om een vies klusje uit te voeren. Zie de tips maar als onderdeel van je normale hygiënische zorg, die je, zoals je inmiddels weet, moet uitbreiden met energetische bescherming en reiniging.

Gebruik je energetische schild

Hier volgen twee beschermingstechnieken die je kunt gebruiken voor de meest voorkomende aanvallen op je aura.

Stralend kant

Dit is een heel fijne beschermingsoefening die ik van mijn moeder heb geleerd. Neem er de eerste keer ruim de tijd voor, zodat je de oefening goed kunt doen. Als je er meer ervaring mee hebt, kun je deze bescherming in een oogwenk creëren.

Intentie: je authentieke vibraties op een prachtige manier beschermen, in het bijzonder voordat je je in moeilijke omstandigheden begeeft.

1. Sluit je ogen. Stel je een kleine gouden bol voor die boven je kruin zweeft. Stel je voor dat deze bol langzaam met de klok mee begint te draaien en tegelijk een kleine cirkel beschrijft. In zijn beweging laat hij sporen van iriserend licht na, zoals sterretjes dat doen.
2. Stel je nu voor dat de gouden bol zich in alle richtingen rondom je hoofd beweegt. Het netwerk van lichtgevende sporen dat hij zo weeft vormt een complex, op kant lijkend patroon rondom je aura.
3. Blijf je de gouden bol voorstellen terwijl die zich rondom je lichaam beweegt en een sierlijk netwerk van zuiver, delicaat, met licht gevuld kant rondom je aura weeft. Vergeet daarbij niet de delen van je lichaam die je niet kunt zien, zoals je achterhoofd, je rug, de achterkant van je benen en je voetzolen.

4. Laat het beschermende netwerk van stralend kant je hele aura bedekken, als een prachtig omhullende cocon, en sluit deze dan door je voor te stellen dat je je naam er met licht opschrijft. Schrijf je naam erop zoals een kunstenaar een meesterkunstwerk signeert.
5. Als je nu de omgeving binnengaat die bedreigend voor je is of een heuse uitdaging voor je betekent, trek het weefsel van kant dan wat strakker aan, zodat er minder gaatjes in zitten.

De volgende oefening werkt supersnel en eenvoudig om je aura te sluiten.

Diamanten bescherming

Voor de diamanten bescherming hoef je niets te visualiseren, wat deze methode in elke situatie bruikbaar maakt, dus ook *tijdens* ontmoetingen en gesprekken. Je kunt er heel ongemerkt gebruik van maken, zodat niemand merkt wat je doet.

Intentie: het elektrisch circuit van je aura sluiten, zodat je geen energie lekt of verliest. Jezelf minder vatbaar maken voor de behoeften of aanvallen van anderen, en energetisch ongevoelig zijn voor elke parasiet die zich aan je probeert te hechten.

1. Ga zitten en laat je handen rusten op je bovenbenen.
2. Plaats het puntje van je tong achter je voortanden, op de grens met je verhemelte.
3. Zet je duimen tegen elkaar zodat ze omhoog naar je zonnevlecht wijzen en zet tegelijk je wijsvingers tegen elkaar zodat ze voor je uit wijzen. Je duimen en wijsvingers maken zo een druppelvorm.
4. Laat je andere vingers zich om elkaar heen vouwen, met die van je rechterhand boven die van je linkerhand. Dit beschermende 'diamantgebaar' zorgt er samen met de tong tegen de voortanden voor dat je aura onmiddellijk op slot gaat.

Tactieken voor onmiddellijke bescherming

Nu volgen een paar effectieve manieren en oefeningen die je tijdens een negatieve energetische uitwisseling kunnen helpen om je aura te beschermen tegen de stekels van je tegenstander en de schade die daarvan het gevolg kan zijn.

Je zonnevlechtchakra beschermen

Je herinnert je vast wel dat je zonnevlechtchakra je sociale uitwisselingen regelt. Vandaar dat de eerste klap van een negatieve energetische uitwisseling met een andere persoon vaak in dit energiecentrum voelbaar is. Als iemand je belaagt of kritiek op je heeft, vooral als dit onverwacht gebeurt, onderneem dan onmiddellijk actie en leg ter bescherming iets over je zonnevlecht heen. Daarmee schep je een fysieke barrière tussen jou en je belager.

Natuurlijk moet je dit op een heel natuurlijke manier doen, en dus niet als een defensief gebaar. Als je zit, sta dan op en ga achter een stoel, een bank of een ander meubelstuk staan. Als dat niet kan, pak dan bijvoorbeeld een kussen en houd dat voor je buik. Een jack of een jasje kan ook. Het zal er uitzien als iets gewoons en spontaans, maar jijzelf kent de intentie erachter: je zonnevlechtchakra beschermen tegen een energetische aanval.

Als je ter bescherming een amulet of een kristal draagt, dan moet het koord of de veter waarmee die om je nek hangt zo lang zijn dat de hanger tot bij je zonnevlechtchakra komt. Mensen bereiken met deze hulpmiddelen voor bescherming vaak niet het gewenste effect, omdat ze die ter hoogte van hun borst dragen, veel hoger dus dan het zonnevlechtchakra.

Doe iets onverwachts

Een goede manier om jezelf te beschermen tegen een verbale aanval is iets doen waarop de ander niet bedacht is; je doorbreekt daarmee het verwachtingspatroon van de ander. Je kunt bijvoorbeeld bukken om je schoenveters opnieuw te knopen of je sokken op te trekken. Je kunt de papieren op je bureau op een stapeltje leggen, de kamerplanten water geven of iets anders doen dat logisch lijkt, maar geen verband houdt met het gedrag of de verwachtingen van je belager of met het onderwerp waarover hij praat.

Doe dit niet op een zenuwachtige, angstige of boze manier, maar probeer het zo natuurlijk mogelijk te laten lijken. De ander verwacht dat je terug schreeuwt, met een andere agressieve reactie komt of juist onderdanig wordt, met andere woorden genoegdoening probeert te halen uit jouw reactie. Als jij dan iets totaal anders doet, breng je je belager van zijn stuk. Wees niet bezorgd dat de ander in de war raakt door jouw reactie, want vanuit jouw positie gezien is dat juist heel gunstig. Als iemand in de war raakt, wordt zijn energieveld zwakker en onsamenhangender, wat doorgaans leidt tot een minder krachtdadige of overtuigende uitwerking op anderen.

Houd jezelf in toom

Als iemand je met woorden aanvalt, beperk de schade voor je aura dan door de opwaartse stroom van je inwendige energie in toom te houden. Om dat te bereiken, houd je op het moment dat de beledigingen jouw kant op komen je adem in of je vertraagt het ritme van je ademhaling. Op deze manier geef je je aura figuurlijke oordopjes.

Blijf rustig

Reageer niet als iemand je provoceert. Doe je dat wel, dan raak je gevangen in een negatieve spiraal: jij laat de negatieve energie van de ander binnen of je ventileert je eigen emotionele energie, en dat is precies wat de ander wil. Die zal visjes blijven uitgooien en zich zo voeden met jouw energie. Als je rustig blijft en niet op de provocatie ingaat, blijf jij de baas over de energetische uitwisseling. Verlies niet de beheersing over je eigen energie, ook niet als je wordt gemanipuleerd met de bedoeling te reageren, of als de ander probeert je op de kast te krijgen.

Krimp niet in elkaar omdat iemand je kleineert of vernedert, wees niet verontwaardigt als iemand je beledigt en word niet boos als iemand je zit te stangen. Het komt er eigenlijk op neer dat je niet reageert op emotionele prikkels of provocaties. Laat je door negatieve mensen niet overhalen om te worden zoals zij.

Verandering van toon

Als iemand tegen je schreeuwt of je verbaal aanvalt, vraag die persoon dan rustig en zelfverzekerd om een stap achteruit te doen. Meestal doet de ander wat je vraagt, waardoor jij je minder onderworpen opstelt tegenover de negatieve invloed van de ander; je krijgt weer controle over de energie-uitwisseling en je versterkt je persoonlijke ruimte.

Wat je ook kunt doen is niet reageren op wat de ander zegt en vragen of de ander wil veranderen van toon. Op die manier reageer je onaangedaan op de inhoud van wat de ander zegt en vraag je alleen of de ander de trillingsfrequentie van zijn stem wil aanpassen. Je kunt bijvoorbeeld vragen: 'Zou je alsjeblieft op een rustige manier willen zeggen wat je me te vertellen hebt?'

Houd het formeel

Als je gemakkelijk terechtkomt in een negatieve uitwisseling met een bepaalde persoon of het gevoel hebt dat die persoon passief-agressief is (vooral als dit speelt op je werk), vermijd dan als het kan dat jullie elkaar tutoyeren. Spreek de ander aan met meneer of mevrouw, of wat anders gepast is, en verwacht van de ander hetzelfde.

Probeer innerlijk te glimlachen

Als iemand heel intimiderend of passief-agressief is en je voelt je onder druk gezet door diens aanwezigheid, stel je dan voor dat die persoon naar je glimlacht, of stel je die persoon voor als baby. Daarmee verbeter je de kwaliteit van de energie tussen jullie, je voorkomt gevoelens van onderdanigheid en je stelt jezelf minder kwetsbaar op. Een andere manier is je ontspannen en innerlijk glimlachen, dus uiterlijk niet zichtbaar, maar vanbinnen stralend. In gedachten wens je die persoon geluk toe en vervolgens adem je met een zucht uit. Zo blijf jij de baas in eigen je energetische ruimte.

Vermijd iemands starende blik

De ogen noemen we ook wel de vensters van de ziel. Dit is waarom je iemand die jou verbaal of energetisch aanvalt nooit in de ogen moet kijken. Kijk in plaats daarvan naar de plek boven de neusbrug van de ander, waar het derde oog is, anders is jouw eigen energetische kern veel minder beschermd en vatbaar voor de negatieve uitbarsting van energie van de ander.

Gaten in de aura

Tijdens een verhit gesprek of een agressieve verbale uitwisseling zwellen de aura's van beide personen op. Ze beginnen allebei sneller te draaien en worden chaotischer, turbulenter. De normaal gesproken zachte, lichtgevende stralen van de aura veranderen in stekelige punten van energie, die bij beide personen emotionele en spirituele verwondingen achterlaten.

Zo'n auraverstoring vindt ook plaats bij iemand die heel boos en opgewonden is. Als deze dan verbaal en emotioneel tegen jou uitvalt, ontstaan er gaten in jouw aura. Energiezuigers verwonden je aura ook vaak door er als een mug gaatjes in te prikken. In sommige gevallen snijden ze er met de vibraties van scherpe woorden stukjes af. Niet voor niets bespraken we uitgebreid wat energiezuigers zijn, want om jezelf ertegen te kunnen beschermen, moet je ze eerst leren herkennen.

Als we deze gaten in onze aura als gevolg van een moeilijk contact met anderen niet dichten, zullen we daar energie door blijven lekken. Hoe vaak we onze energievoorraad ook aanvullen, die raakt daardoor steeds weer snel op, waardoor we er in ons streven naar duurzame gezondheid een nieuwe ondermijnende factor bij hebben.

Helaas lopen veel mensen rond met een aura met verschillende wonden waaruit energie lekt. Dat gebeurt omdat ze zich niet bewust zijn van de beschadigingen van hun aura als gevolg van negatieve energie-uitwisselingen en omdat ze hun energieveld niet beschermen of repareren.

Deze energielekken kunnen lange tijd onopgemerkt blijven, totdat er een moment komt dat we uitgeput raken en depressief worden. Maar zelfs dan gaan we vaak nog voorbij aan de mogelijkheid om ons energieveld te beschermen. Tevergeefs blijven we onze energievoorraad aanvullen. We lijken op een boot met een gat in de bodem; er blijft almaar water naar binnen lopen en uiteindelijk zinkt de boot. Zo gaat dat met kleine probleempjes en tegenvallers: los van elkaar lijken ze weinig voor te stellen, maar alles bij elkaar kunnen we eraan ten onder gaan.

Gaten in de aura waarnemen

Dit zijn de meest voorkomende aanwijzingen dat er gaten zitten in je energieveld:

* **Extreem meevoelen**. Je hebt het gevoel dat je een spons bent en alle energieën uit je omgeving opzuigt. Je gevoeligheid hiervoor overweldigt je voortdurend en beheerst volkomen hoe je je innerlijk voelt. Alles wat je in de media of van andere mensen hoort raakt je diep.
* **Een onveilig gevoel hebben**. Als je alleen bent voel je je kwetsbaar, en als je in een grote groep mensen bent voel je je onbeschermd. Je wilt het liefst binnenblijven, maar je omringt jezelf wel met vrienden en familie. Het lijkt wel of je hun energie gebruikt om je innerlijke leegte te vullen. Je doet dat vanuit een onbewuste behoefte om de gaten in je aura te dichten.
* **Gebrek aan uithoudingsvermogen hebben**. Je bent je normale levenslust en vitaliteit kwijt. Je hebt meer last van matheid, emotionaliteit of depressiviteit dan je gewend bent.

De wonden van je aura verzorgen

Nu je beter weet welke consequenties een negatieve uitwisseling met andere mensen heeft, kunnen we kijken naar manieren om de wonden van je aura te verzorgen en te voorkomen dat er via die wonden energetische ziekteverwekkers binnenkomen, of levenskracht weglekt. Bedenk dat deze gaten in je energieveld ook kunnen ontstaan als je toxische vibraties voortbrengt door synchronisatie met destructieve energiegolven, zoals we eerder hebben besproken.

Een gescheurd chakra herkennen

We zullen het chakrasysteem gebruiken om een gat te repareren dat ontstaan is als gevolg van een energetische aanval. Kies uit onderstaand lijstje het chakra dat het best bij je huidige situatie past. Ik heb ook de kleuren genoemd die ik met de chakra's associeer, want die heb je nodig voor de oefening die erna komt, waarin je je aura gaat repareren.

Basischakra: conflict gebaseerd op huiselijke of familieproblemen, onder druk staan om impulsief in plaats van doordacht te handelen, bedreigingen van je veiligheid, uitwisseling met een paranoïde energiezuiger. *Kleur*: robijnrood.
Heiligbeenchakra: een aanval op je seksualiteit of mannelijkheid/vrouwelijkheid, een uitbarsting van op jou gerichte jaloezie of afgunst, het verwijt krijgen dat je iets niet waard bent, uitwisseling met een groenogig monster. *Kleur*: oranjegoud.
Zonnevlechtchakra: iemands eigen verantwoordelijkheid wordt op jou geprojecteerd, druk om je eigen weg te verlaten en die van iemand anders te volgen, een emotioneel bedreigende omgeving, woede van je tegenstander omdat jij niet aan zijn of haar verwachtingen voldoet, uitwisseling waarin sprake is van emotionele chantage, contact met een tijdelijke energiezuiger. *Kleur*: geelgoud.
Hartchakra: bedrogen liefde, verbale en op jou gerichte uitbarsting die zegt dat je geen liefde waard bent, veelvuldig intiem contact met een 'pauw', of de ervaring van verstikkende liefde. *Kleur*: grasgroen.
Keelchakra: wanneer iemand jou figuurlijk woorden door de strot duwt, projectie van schuldgevoel, anderen die jouw recht om je uit te spreken ontkennen, gezelschap van een kletsmajoor. *Kleur*: turquoise.
Derde-oogchakra: verbale aanvallen op jouw wijsheid en inzicht, passief-agressief gedrag dat jouw intuïtie kleineert en belachelijk maakt, aanval door een pestkop. *Kleur*: indigo
Kruinchakra: uitbarstingen van verwijten dat je dom bent, aanval op je identiteit, discussie over jouw manier van omgaan met spiritualiteit, uitwisseling met een manipulator. *Kleur*: wit, violet.

Je aura repareren

Zoals ik al aangaf, werken visualisaties het best als je ze combineert met lichamelijke beweging. Daarom ga je bij deze oefening je handen gebruiken om te naaien. Als dat niet lukt, kun je het je ook alleen voorstellen.

Je kunt deze oefening zittend of staand doen, afhankelijk van waar het gat in je aura zich bevindt. Zie hoofdstuk 1 voor de plaats van de chakra's en hun eigenschappen.

Intentie: eerste hulp bieden bij een wond die is ontstaan door de uitwisseling van negatieve energie. Je kunt dit zien als het dichtnaaien van de gaten in je aura, zodat je energie er niet meer door weglekt.

* Sluit je ogen, ga met je aandacht naar het relevante chakra en stel je voor hoe het gat daar eruitziet. Is het een klein sneetje, een flinke scheur of een gapend gat?
* Stel je voor dat je tussen duim en wijsvinger een gouden naald hebt. Stel je een serie klosjes naaigaren voor en kies een kleur die overeenkomt met de kleur van het chakra dat verband houdt met de symptomen die je ervaart. Haal het naaigaren van je keus door de gouden naald.
* Stel je nu voor dat je zorgvuldig het gat in je aura stopt. Maak nette, kleine steekjes en ga hiermee door totdat het gat helemaal dicht is. Stel je echt voor hoe het gat met elke beweging van de naald kleiner wordt.
* Als je het gat hebt gestopt, zie dan voor je geestesoog heel levensecht dat het helemaal netjes dicht is. Strijk met je hand over dat deel van je aura – je kunt je hand daadwerkelijk op de plek leggen waar dat chakra zich bevindt – en stel je voor hoe je het met gouden licht uit je handpalm gladstrijkt, totdat alle stiksels verdwenen zijn en alleen nog de gladde, ononderbroken stralende chakrakleur is te zien.

Energetische bescherming van je familie

Als je op je werk of in een andere sociale omgeving veel te maken hebt met moeilijke mensen, dan kun je die misschien nog vermijden of manieren vinden om ze op afstand te houden. Maar wat kun je doen als je partner of iemand uit je gezin je provoceert en zich met jouw energie voedt?

Energieverlies binnen gezinnen vindt meestal plaats tijdens ruzies. Er kan sprake zijn van regelmatige verbale conflicten en emotionele uitbarstingen. Als je niet weet hoe je hier goed mee omgaat, of als je je niet realiseert dat je een keus hebt in hoe je erop reageert, kunnen deze confrontaties je enorm veel energie kosten.

Het is nu het moment niet...

We moeten allemaal leren om verstandig om te gaan met de gevoelens en provocaties van anderen. Als je partner bijvoorbeeld slechtgehumeurd thuiskomt en op ontploffen staat, moet je met die toestand rekening houden en beseffen dat het waarschijnlijk niet zo verstandig is om nu een onderwerp aan te snijden waarover jullie waarschijnlijk ruzie krijgen – de dagelijkse uitgaven of een gast met wie hij het niet goed kan vinden en die een weekend komt.

Als de ander heel kortaf is en niet bereid om met je te praten, kun je hem beter even met rust laten. Ga naar een andere kamer of maak een wandelingetje. Anders krijg je met een heftige reactie te maken die jou beschadigt en onvermijdelijk tot energieverlies leidt.

Praat zacht

Nogmaals, let op het volume van je stem. Als iemand bij je in huis begint te schreeuwen, schreeuw dan niet terug; de ander kiest er zelf voor om zijn energie te verspillen. Houd jouw energieverlies zo klein mogelijk door zacht en rustig te blijven praten. Zorg er ook voor dat je niet even snel praat als de ander, anders vormen jullie stemmen een toxische golflengte. Als jij aanzienlijk zachter praat, blijf je goed bij jezelf en word je niet omvergeblazen.

Omgaan met een slachtoffer

Wat moet je doen als je partner of iemand anders uit je gezin thuiskomt, een vreselijke dag heeft gehad, en daar maar over door blijft klagen en zijn gevoelens over blijft spuien, alsof hij ergens slachtoffer van is? Vaak zitten we dan passief te luisteren en zuigen alle irritatie en ellende als een spons op. Het lijkt misschien of je daarmee de ander steunt, maar feitelijk voed je er alleen maar diens neiging mee om te blijven hangen in alles wat niet goed gaat.

Ik ben daar geen voorstander van. Ik denk dat je er beter aan doet medeleven te tonen en de gevoelens te erkennen, om daarna het gesprek een andere wending te geven, zodat de energie niet blijft stagneren maar stimulerend wordt. Je kunt bijvoorbeeld zeggen: 'Ik hoor je en ik vind het naar voor je wat er is gebeurd. Laten we kijken of we een oplossing kunnen vinden. Wat zou je hier zelf aan willen doen?'

Positieve voorstellen ter verbetering van de situatie en vragen naar een stapsgewijze oplossing in plaats van versterking van het slachtoffergevoel helpen de ander om zijn derde-oog te activeren; dat is het chakra dat verantwoordelijk is voor het bedenken van tactieken en strategieën, en een aanzet kan geven tot actie. Ik geef dit advies altijd aan cliënten die niet langer bereid zijn te fungeren als afvalemmer voor iemands negatieve energie.

Het doet mensen geen goed als jij hun negatieve energie opvangt, en al helemaal jouzelf niet! Je hoeft je liefde of vriendschap voor iemand niet te bewijzen door samen met die ander te verdrinken in ellende. Help de ander liever vooruit en stuur aan op een op de toekomst gerichte energiestroom. Vergeet niet dat er een enorm verschil bestaat tussen iemand helpen, en jezelf voor iemand opofferen.

Ruzie beëindigen

Dit uit de Bijbel afkomstige spreekwoord mogen we nooit vergeten: *Laat de zon niet over je boosheid ondergaan.* Het is heel belangrijk, vooral binnen een gezin, om dingen uit te praten en los te laten voordat je gaat slapen, zodat je energie zich tijdens de nacht kan herstellen. Als je dat niet doet, rust je niet uit als je slaapt, omdat je die negatieve energie vasthoudt.

Als je ruzie hebt met je partner en jullie voelen vijandigheid naar elkaar terwijl er geen zicht is op een spoedig einde van het conflict, slaap dan liever niet bij elkaar. Als jullie in hetzelfde bed liggen terwijl jullie woedend zijn op elkaar, worden jullie aura's nog meer beschadigd; jullie slapen letterlijk op een bed van energetische doorns!

Als het niet mogelijk is om apart te slapen, dan moeten jullie je voorstellen dat er een onzichtbaar gordijn tussen jullie hangt. Vergeet niet om dat gordijn 's morgens weer weg te halen, als je de dag wilt beginnen met een kans op verzoening.

Meer tools om je aura te beschermen

Hier volgen nog een paar prachtige, eenvoudige maar buitengewoon effectieve visualisaties, meditaties en andere oefeningen om je aura te beschermen.

Bol met linten

Intentie: je aura sluiten en jezelf beschermen wanneer je te maken hebt met energetische ziekteverwekkers.

Als je te maken hebt met een energiezuiger of negatief persoon, stel je dan voor dat je in een bol zit die gevuld is met een prachtig amethistkleurig licht. De buitenkant van de bol is omwikkeld met regenboogkleurige linten, alsof het een prachtig cadeau is. Stel je voor dat elk lint een spreuk draagt, bijvoorbeeld 'ik ben beschermd', 'ik ben onoverwinnelijk', 'ik ben veilig'.

Met deze visualisatie is het voor binnendringende energie een stuk moeilijker om jouw persoonlijke ruimte te beschadigen.

Bakstenen muur

Intentie: negatieve energie buiten jouw persoonlijke ruimte houden.

Als je bij iemand bent die je pest, provoceert of energetisch belaagt, stel je dan voor dat er een bakstenen muur tussen jullie wordt opgetrokken. De kant van de muur die is gericht naar de ander is met een spiegel bedekt, zodat diegene alleen zijn eigen spiegelbeeld ziet. Alle negatieve energie die deze persoon projecteert wordt daardoor naar hemzelf teruggekaatst en zal jou niet bereiken.

Als je niet meer bij deze persoon bent of als je merkt dat die je niet meer aanvalt, kun je je defensieve toestand weer loslaten.

Als je wordt blootgesteld aan negatieve of vijandige energie, kan de volgende oefening voorkomen dat je verzadigd raakt van toxische energiegolven.

Transparant worden

Intentie: voorkomen dat negatieve energie zich aan je hecht.

* Roep eerst in jezelf de neutrale toestand van waarnemer op, zoals beschreven in hoofdstuk 11.
* Stel je dan voor dat je volledig transparant bent en dat de stromen van negatieve energie ongehinderd door je heen gaan; jij houdt ze niet vast. Zeg in gedachten: ik ben onzichtbaar voor toxische energie.
* Je kunt je vervolgens voorstellen dat alle negatieve energie die door jou heen is gegaan, verandert in een roze nevel. Stel je dan voor dat die oplost of in de grond verdwijnt – kies het beeld dat voor jou het best werkt. Dit is een heerlijke manier om een ruimte te zuiveren, zelfs als het iemand anders was die de energetische vervuiling produceerde en niet jij.

Doe de volgende oefening als je slachtoffer bent geweest van een negatieve uitwisseling. Je weet waarschijnlijk wel hoe zwaar belast je je daarna kunt voelen. Het is verbazingwekkend hoe goed deze techniek je dan kan helpen.

Lucifers branden

Koop vooraf eerst extra lange lucifers, het type waarmee je een barbecue of houtvuur aansteekt.

Intentie: jezelf snel reinigen van negatieve energie, veroorzaakt door een moeilijke situatie of emotie.

1. Strijk een lucifer af. Terwijl je naar de vlam kijkt, formuleer je de intentie dat je jezelf bevrijdt van de last van een emotie of situatie die je in de greep houdt.
2. Houd deze intentie vast, adem uit en blaas de lucifer op een zucht uit, liever op *aah* dan op *pff*.
3. Gooi de lucifer weg.

Je energie zuiveren

Soms slagen we er niet in om onszelf te beschermen tegen de negatieve energie van mensen of gebeurtenissen en blijven we zitten met het gevoel dat we ermee besmet zijn. In Rusland zeggen we dat gewoontes je karakter vormen, en in mijn praktijk zie ik dan ook vaak dat mensen lagen van oude toxische energie accepteren als onderdeel van het Zelf. Het is dus van belang om je energie te zuiveren zodra je merkt dat zich negativiteit heeft opgebouwd. Je kunt onderstaande visualisaties gebruiken om zelf je energie te zuiveren.

De aura kammen

Dit is werkelijk een heel effectieve manier om je aura te ontdoen van alle negatieve energie die je hebt opgepikt. Je kunt dit naar behoefte doen, maar maak er vooral gebruik van direct na een onprettige ervaring of een gesprek met een moeilijke persoon, als je het gevoel hebt dat je de 'vieze voetstappen' van de energie van de ander maar niet uit je aura kwijtraakt.

In deze oefening combineer je fysieke beweging en visualisatie, voor een maximaal effect. Hoe meer je op energie bent afgestemd, hoe beter je de voordelen van deze oefening voelt.

Intentie: je aura reinigen door die te kammen.

1. Stel je voor dat je een kam hebt die gemaakt is van zuiver goud. Hij is warm in je hand en je voelt hem stralen.
2. Begin bij de aura rondom je hoofd en haal de gouden kam door alle delen ervan. Vergeet je achterhoofd en je kruin niet.
3. Volg je lichaam naar beneden en kam het gebied rondom je schouders en nek. Ga dan langs je armen naar beneden, helemaal tot je en met je vingertoppen. Ga vervolgens langs je romp, rondom je heupen, tussen je benen en langs je beide benen omlaag naar je tenen en je voetzolen.
4. Terwijl je dit doet, stel je je voor dat er naast je een violette vlam brandt die alle negatieve energie opvangt die jij uit je aura kamt.
5. Als je het gevoel hebt dat je kam vol zit met donkere energetische rommel uit je aura, trek die troep er dan met je handen uit en gooi die in het hart van de violette vlam.
6. Ga hiermee door tot je je hele aura hebt gekamd. Vraag de violette vlam nu om weg te zweven en terug te keren naar de universele bron van licht.

Je kunt deze visualisatie combineren met daadwerkelijke handbewegingen, waarbij je vingers de tanden van de kam voorstellen. Maak met je hand stevige kambewegingen en volg de aanwijzingen voor de visualisatie. Raak je lichaam lichtjes aan, alsof je er pluizen vanaf pakt.

Je hebt al kennisgemaakt met aurabacteriën en energiekoorden. Je hebt je waarschijnlijk ook al eens afgevraagd of jij geïnfecteerd bent met dit soort ziekteverwekkers. En als dat het geval is, heb je vermoedelijk ook al vastgesteld om welk chakra het gaat. Probeer de volgende oefening om deze energiekoorden te verbranden.

Energiekoorden verbranden

Intentie: jezelf bevrijden van negatieve banden.

* Pak een kaars (of theelichtje) en lucifers, en leg die voor je neer.
* Stel je de persoon voor die voor jouw gevoel een negatieve band met je heeft.
* Ga nu met je bewustzijn naar het chakra dat hierdoor is aangedaan, en stel je een gekleurde draad voor (overeenkomstig de kleur van het chakra) waarmee jullie chakra's met elkaar verbonden zijn. Blijf bij dit gevoel en maak het zo levensecht mogelijk.
* Open nu je ogen, steek de kaars die voor je staat aan en sluit weer je ogen. Keer terug naar de visualisatie.
* Stel je nu voor dat je de gekleurde draad aansteekt. Het effect is zoals bij een sterretje. Het vonkende brandpunt volgt de draad naar de persoon en laat daarbij geen enkel spoor na.
* Als de vonken ten slotte de andere persoon bij het chakra hebben bereikt, vindt er tussen jullie een explosie van licht plaats en worden jullie beiden omhuld door een wolk stralend witte nevel.

* Open nu je ogen, pak de brandende kaars en beweeg die op een afstand van 30 tot 50 centimeter voor je lichaam van je basischakra naar je kruinchakra.
* Zeg: 'Ik geef je over aan de handen van licht en liefde. Ik ben vrij en ben weer mezelf'. Zet de kaars weg op een veilige plek en laat hem helemaal opbranden.

De volgende oefening is heel geschikt om energie te neutraliseren.

Spoel het weg!

Neem als je thuiskomt zo snel mogelijk een douche, zodat je de energie die je door de dag heen vergaard hebt letterlijk wegspoelt. Laat het water via je kruin helemaal langs je lichaam lopen. Negatieve energie hecht zich namelijk overal aan je, ook aan je hoofd.

Doe als je jezelf hebt afgedroogd niet weer dezelfde kleren aan. Stop die liever in de wasmand! Trek iets schoons aan, iets gemakkelijks waarin je je lekker voelt.

De volgende oefening kan je helpen om energetische onzuiverheden die zich overdag aan je gehecht hebben af te vegen.

Spinrag verwijderen

Ga bij een lopende waterkraan zitten. Stel je voor dat je lichaam bedekt is met fijn spinrag. Raak jezelf zachtjes aan, waarbij je je voorstelt dat je het spinrag met je handen afveegt, achtereenvolgens van alle delen van je lichaam. De fysieke bewegingen van je handen moeten meegaan met de bewegingen die je je voorstelt. Terwijl je dit doet, houd je je handen regelmatig onder het stromende water van de kraan, om jezelf te ontdoen van de energie die je verwijdert. Vergeet niet de spinragenergie ook te verwijderen van je rug, je nek, je handpalmen en je voetzolen.

Als je bang bent voor spinnen en het idee van spinrag heel naar vindt, kun je de oefening aanpassen en je voorstellen dat je bedekt wordt door stof, en dat dan verwijderen.

Ik ben gek op de volgende meditatie. Als je een sterke band voelt met het element water, kun je er veel plezier aan beleven. Het is een fantastische oefening om jezelf snel te reinigen als je je energetisch vies voelt.

De draaikolk

Kies een moment waarop je niet gestoord kunt worden, zodat je je ten volle met deze meditatie kunt bezighouden.

Intentie: alle negatieve energie die je verzameld hebt wegwassen.

1. Stel je voor dat een waterstroom je lichaam binnenkomt via je kruin, en een andere stroom via je voeten. Deze twee stromen ontmoeten elkaar in je buik, tussen je heiligbeenchakra en je zonnevlechtchakra. Daar vormen ze een draaikolk van zout zeewater.
2. Vraag het zout in het water om alle negatieve energie op te nemen die je verzameld hebt, en alles wat er negatief is uit jou te verwijderen.
3. Als je weet dat het zoute water alle negativiteit heeft opgenomen, stel je dan voor dat je drijft op het water van een kalme zee en helemaal tot rust komt.
4. Terwijl je je dit voorstelt, kun je je lichaam fysiek heen en weer bewegen, alsof je zachtjes door de zee wordt gewiegd.

5. Doe dit zolang het prettig voor je voelt. Als je je lichter en schoner voelt, kom je langzaam terug in de kamer. Laat het water niet weglopen.

Reiniging als spiritueel ritueel

Als je weer eens stof afneemt of je huis opruimt, zie dat dan als een spiritueel ritueel. Maak er zowel een fysieke klus als een symbolische daad van, zodat je er spirituele krachten bij gebruikt. Het uiterlijk beïnvloedt het innerlijk.

Als je je huis opruimt, probeer daar dan je ogen, je oren, je handen en zelfs je ademhaling bij te betrekken. Verbind je met de verschillende delen van een kamer. Kijk naar de voorwerpen die je afstoft, schoonmaakt of opruimt; verbind je er echt mee, in plaats van alles routinematig en automatisch te doen, terwijl je met je gedachten ergens anders zit.

Je hoeft dit niet elke keer dat je je huis schoonmaakt te doen, maar zo af en toe is het een prachtige manier om waardering te voelen voor je huis en om van opruimen een meditatieve bezigheid te maken. Zoals sommige mensen zich er altijd voor inspannen om hun lichaam met de juiste intentie te behandelen als hun energietempel, zo kun jij je fysiek inspannen om je werkelijk met je huis te verbinden als je het schoonmaakt. Het is de moeite zeker waard, want je maakt zo van je huis jouw heilige ruimte en toevluchtsoord.

Je huis energetisch zuiveren

Maak in deze oefening voor een maximaal effect gebruik van de krachtige combinatie van visualisatie en lichamelijke activiteit. Kies een moment waarop je niet gestoord of onderbroken wordt. Zet je telefoon uit, ga zitten en neem een paar minuten om je te ontspannen.

Intentie: met behulp van de geestkracht je huis energetisch zuiveren.

1. Zie je huis voor je geestesoog en zie jezelf de eerste kamer binnengaan. (Je kunt hiervoor ook je energetische dubbel gebruiken, zoals besproken in hoofdstuk 11.) Zie jezelf staan midden in deze kamer. Neem even de tijd om je af te stemmen op de energie om je heen en een gevoel te krijgen van de ruimte.
2. Stel je nu voor dat je je hand in je zak steekt en daar een handvol goudstof uit haalt. Open je hand en blaas het goudstof de kamer in. Je kunt lichamelijk deel uitmaken van deze visualisatie door over je uitgestrekte hand te blazen terwijl je je voorstelt dat je het goudstof de kamer in blaast. Het goudstof sprankelt en fonkelt, en vult de hele ruimte. De binnenkant van de kamer glanst nu van het goudstof.
3. Stel je nu voor dat het goudstof alle hoeken en gaten vult. Verlaat de kamer niet voordat dit is gebeurd. Probeer je dit zo levensecht mogelijk voor te stellen, om de effectiviteit van de oefening te vergroten.
4. Als de kamer helemaal gevuld is met goudstof, ga je naar de volgende kamer, waar je het proces herhaalt. Doorloop zo je hele huis tot je elke kamer gezuiverd hebt. Als je inloopkasten of garderobes hebt, zorg er dan voor dat je die ook op deze manier zuivert.

13

Bescherming tegen energiezuigers

In hoofdstuk 2, over auraschimmels, hebben we gekeken naar energiezuigers, personen die zich net als parasieten voeden met de energie van andere mensen. Zoals ik daar heb uitgelegd, is het belangrijk dat we het erkennen als we deze neiging in onszelf tegenkomen. Op die manier krijgen we meer zeggenschap over onze eigen energie en kunnen we echt verantwoordelijkheid nemen voor onszelf en ons gedrag.

Het is heel verleidelijk om te denken dat wij het zelf allemaal goed doen en moeten oppassen voor krachten buiten ons, maar zo werkt het niet. We komen allemaal in situaties terecht waarin we zelf heel gemakkelijk in een energiezuiger veranderen, al is het maar voor korte tijd. Het is gewoon niet zo, dat wij alleen maar goed bezig zijn terwijl anderen in de fout gaan, of zich gedragen als spirituele snobs.

De verbinding tussen energiezuiger en donor verbreken

Zit jij gevangen in een langdurige relatie met een energiezuiger? Het is goed om je van zo'n situatie bewust te worden, maar je moet natuurlijk ook weten wat je eraan kunt doet. Je kunt het best beginnen met jezelf eerlijk een paar vragen te stellen, zonder een oordeel te hebben over de antwoorden die er bij je bovenkomen.

Vraag jezelf af op welke manieren jij in de relatie met die persoon investeert. Welke 'overeenkomst' hebben jullie gesloten? Wil jij het die ander naar de zin maken en verdraag je daarom het verlies van je energie? Is de ander nuttig voor je? Voel je je om een of andere reden schuldig naar die persoon? Of heb je misschien medelijden met deze persoon? Wat hoop je bij deze relatie te winnen?

Het is triest maar waar: de relatie met een energiezuiger levert je niets op. Jouw energie 'doneren' aan een energiezuiger leidt nooit tot iets waar jij voordeel bij hebt. Bovendien kan het hierdoor voor jou onmogelijk worden om een authentiek leven te leiden. Vergeet niet: wanneer jij geen zeggenschap hebt over je eigen energie, geef je die weg aan iemand anders. Heb je jezelf in een denkbeeldige hiërarchie geplaatst en ben je bereidwillig iemands energieslaaf geworden? Verander dan iets aan die relatie, want anders veroordeel je jezelf tot een levenslang tekort aan energie.

Het kan tijd kosten voordat je doorhebt wat er precies gebeurt in de omgang met een energiezuiger, dus heb geduld en blijf vraagtekens zetten bij hoe je je gedraagt. Dat is namelijk erg belangrijk als je je verbinding met de energiezuiger wilt verbreken. Je kunt allerlei oefeningen doen om jezelf te beschermen tegen deze vorm van energieverlies, maar die maken geen verschil als je innerlijk een strategie blijft volgen die gebaseerd is op het idee dat jij baat hebt bij deze relatie.

Energie doneren aan een energiezuiger is nooit een goede investering en betekent altijd energieverlies, hoezeer je ook hoopt dat het je iets oplevert. Aan energie verkregen door misbruik heb je nooit iets. Als je moeite hebt met de aanpak van dit probleem, dan kun je volgens mij het best een psycholoog in de arm nemen. Energyhealing alleen lost het probleem niet op, dus pak het alsjeblieft holistisch aan.

Voorkom dat je een energiezuiger wordt

We hebben het allemaal gedaan: na een rotdag op het werk de frustraties thuis afreageren op onze partner en kinderen. Of we waren op weg naar een vriendin terwijl we eigenlijk doodmoe waren; eenmaal bij haar hielden we onszelf op de been dankzij haar energie.

Het is dus belangrijk om na te gaan hoe het energetisch met je is gesteld voordat je in contact komt met anderen; dat geldt voor alle vormen van contact: in levenden lijve, aan de telefoon of op andere manieren. Je moet je persoonlijke ruimte bewaken, maar je moet er tegelijk op letten dat je de ruimte van anderen niet vervuilt of beschadigt. Dit hoort er allemaal bij als je een authentiek leven wilt leiden: dat wij ons niet alleen bewust zijn van hoe we leven en hoe het staat met onze innerlijke balans, maar dat we ook de innerlijke balans van de mensen om ons heen beschermen.

Je energie stabiliseren

Al heel lang zijn spirituele meesters ervan overtuigd dat de wereld is opgebouwd uit vier basiselementen: vuur, aarde, lucht en water. Deze energetische krachten van de natuur worden gezien als de leidende krachten van het universum en van alles wat zich daarin bevindt, dus ook de mens. Er wordt gezegd dat deze vier krachten in balans moeten zijn, zodat het vijfde, spirituele element zich kan manifesteren: ether (in India ook wel *prana* genoemd, en bij ons aangeduid met 'levenskracht').

De volgende keer dat je je uitgeput voelt en geneigd bent een ander te gebruiken om aan energie te komen, of om na een rotdag je negativiteit bij iemand anders te dumpen, probeer jezelf dan op een gezonde manier in balans te brengen met een van de volgende tools. Je maakt daarbij gebruik van de eigenschappen van vuur, aarde, lucht en water.

Als je thuis per ongeluk iets laat vallen op de vloer, pak je onmiddellijk een doekje of een bezem om het op te ruimen. Op dezelfde manier kun je deze elementaire tools gebruiken voor de energetische hygiëne van jezelf en je omgeving. Je kunt ze ook als eerste hulp gebruiken vlak na een negatieve uitwisseling van energie (zie hoofdstuk 12).

Intentie: je energie stabiliseren en zuiveren om te voorkomen dat je een energiezuiger wordt.

Stap 1: ontdek wat jouw element is.

Allereerst kies je het element waarmee je je op dat moment het sterkst verbonden voelt. Iedereen heeft een overheersend element en aan de hand van onderstaande vragen kun je vaststellen welk element dat is. Bedenk wel dat het element waarmee je je het sterkst verbonden voelt tijdens je leven veranderen kan, dus kies er niet eentje zonder de andere te hebben bekeken.

Vuur

* Ben je enthousiast, optimistisch en hartstochtelijk?
* Vind je het fijn om in een open vuur te staren?
* Vind je het heerlijk om in de volle zon te zitten? Zet je thuis altijd de kachel aan?

Aarde

* Ben je gegrond, stabiel en gebruik je altijd je gezonde verstand?
* Ben je graag in de natuur?
* Houd je van tuinieren of van werken met hout?

Lucht

* Ben je een dromer, een visionair of een denker?
* Krijg je energie van in de wind staan?
* Vind je het heerlijk om buiten in de frisse lucht te zijn, en zet je altijd de ramen open omdat je dan pas het gevoel hebt dat je adem kunt halen?

Water

* Laat je je gemakkelijk beïnvloeden door je emoties of je intuïtie?
* Vind je het fijn om aan een rivier of op het strand te staan?
* Word je beïnvloed door de fasen van de maan?
* Houd je ervan om in bad te liggen?

Stap 2: jouw element gebruiken om jezelf te stabiliseren.
Elk element heeft unieke eigenschappen en kernmerken. Ik raad je aan om die te gebruiken, om je energie op een efficiënte manier in balans te brengen, zoals hieronder beschreven.

Vuur

Maak direct nadat je hebt blootgestaan aan toxische energie de open haard aan (als je die hebt). Ga erbij zitten en mediteer op de vlammen. Je kunt ook een kaars aansteken en mediteren op de vlam.

Als je precies weet waaraan je je energie verliest of wat het is dat jou ertoe aanzet je te voeden met de energie van anderen, beschrijf dit dan tot in detail op een vel papier. Gooi het vel vervolgens in de open haard. Je kunt ook een metalen emmer gebruiken waarin je het papier met een lucifer aansteekt. Kijk naar het vel terwijl het verbrandt, als een soort meditatie, tot er alleen as van over is.

Houtskooltabletten zijn ook handig, want die roken als je ze aansteekt. Leg er een paar op een diffuser voor essentiële olie, of op een oud bord of schoteltje en steek ze aan. Als je wilt kun je er een takje gedroogde salie bij doen, zodat de ruimte meteen gereinigd wordt terwijl de houtskooltabletten opbranden.

Dan nog een eenvoudige maar heel effectieve meditatie die je overal kunt doen. Voel je hartslag door de vingers van je rechterhand op je linkerpols te leggen, direct onder de basis van je duim. Als je je hartslag voelt, weet je dat je de juiste plek hebt gevonden. Blijf rustig zitten en denk aan het warme bloed dat door je lichaam stroomt en je vult met levengevende energie. Laat je een poosje meevoeren op de beweging van je hartslag. Dit is ook heel goed om te doen als je het gevoel hebt dat de energie van je omgeving een bedreiging is voor jouw unieke energiefrequentie.

Aarde

Je kunt direct na een negatieve uitwisseling de tuin in gaan, als je die hebt, en tuinwerk doen. Draag geen handschoenen, maar maak met je blote handen contact met de aarde. De bodem neemt negatieve energieën op, zodat jij je snel gegrond en rustig gaat voelen.

Je kunt ook op je blote voeten lopen. Het is ideaal als je dat buiten doet, bijvoorbeeld op het gras. Als je die mogelijkheid niet hebt, kun je ook in huis op blote voeten lopen, het liefst op een houten vloer.

Wat dacht je ervan om een boom te omhelzen? Als je een boom in de tuin hebt, sla je armen er dan omheen, zodat jouw energie zich afstemt op die van de boom. Je kunt dit ook in een park doen of in het bos, als je dat prettiger vindt. Als je je ervoor schaamt om in het openbaar een boom te omhelzen, ga dan met je rug tegen de stam zitten, zodat je ruggengraat van je stuitje tot je hals contact maakt met de bast.

Lucht

Als je je verbonden voelt met het element lucht kun je je energie als je energetisch belaagd bent resetten met de 3-3-3-ademhaling. Het enige wat je daarvoor hoeft te doen is dit: adem op drie tellen door je neus in, houd je adem drie tellen vast, en adem op drie tellen uit door je mond. Doe dit een paar minuten achtereen. Probeer je ribbenkast op je inademing ook aan de zijkanten uit te zetten, alsof je een accordeon bent. Adem door je mond uit alsof je zucht.

Na een verhitte discussie of een pittige vergadering kun je ramen en deuren openzetten om frisse lucht binnen te laten. Dit werkt nog beter als het buiten een beetje waait. Laat de bewegende lucht je negatieve energie wegvoeren en tegelijk de energie in de kamer zuiveren.

Niet iedereen houdt van de geur van wierookstokjes, maar als jij die wel lekker vindt, steek er dan eentje aan en zuiver zo langzaam de lucht om je heen. Olibanum (Frankincense) is hier heel geschikt voor. Je kunt deze wierook gebruiken in de vorm van een stokje, of een paar stukjes hars nemen. Hiermee verspreid je opeenhopingen van negatieve energie en verbeter je je ademhalingsvermogen.

Als je het geluk hebt buiten de stad te wonen, ga dan naar buiten als het waait en geef je over aan de wind. Laat die door je haar waaien en open je armen, alsof je een wordt met de wind.

Water

Ga zwemmen als je je direct na een conflict leeggezogen voelt door het contact met een ander. Of ga ergens in de buurt van het stromende water van een beek of rivier zitten, of desnoods bij een lopende kraan. Stel je voor dat alle negatieve energie die zich aan je heeft gehecht door het stromende water wordt meegenomen, en dat je je synchroniseert met het geluid van stromend water.

Een andere uitstekende optie is onder de douche gaan. De temperatuur van het water is niet van belang, dus je kunt zo warm of koud douchen als je wilt. Zorg er wel voor dat het water vanaf je kruin over je lichaam naar beneden stroomt, zodat alle toxische energie wordt meegenomen. Voor deze oefening heb je een grote hoeveelheid water nodig, dus als je douchekop maar klein is, kieper dan liever een grote kom of een emmer water over je hoofd. Verbind je met het water en heb de intentie dat het je reinigt. In gedachten kun je het water vragen alle negatieve energie die je verzameld hebt op te nemen en af te voeren.

Als een douche nemen geen optie is, kun je ook een wastafel of een grote kom met water vullen. Schep het water met beide handen op en plens het tegen je gezicht. Blijf dit doen en laat het water van je gezicht aflopen totdat je je lichter voelt. Dep je gezicht daarna droog met een schone handdoek.

Als je weinig tijd hebt en onmiddellijk iets wilt doen, drink dan met volle aandacht een glas water leeg. Vul een glas met water dat ietsje kouder is dan kamertemperatuur. Ga zitten, ontspan je en neem langzaam kleine slokjes. Volg in gedachten het water via je slokdarm naar je maag. Wees je echt bewust van hoe het water zich door je borstkas verplaatst. Drink het glas helemaal leeg en blijf de gewaarwordingen observeren die door het stromende water veroorzaakt worden. Dit is een handige en snelle manier om je energie weer goed af te stemmen.

Je kunt ook kristalwater maken. Koop een verstuiver van helder glas, doe er een paar kristallen in – amethist en aquamarijn resoneren het best met water – en vul het flesje met water. Zet de verstuiver in een zonnig venster, zodat de stralen van de zon erin doordringen. Na een paar uur is de verstuiver klaar voor gebruik.

Verstuif het water royaal in je persoonlijke ruimte als je vermoedt terecht te komen in een toestand waarin je energie gaat zuigen van anderen. Hiermee help je dat te voorkomen. Als de verstuiver leeg is, schud je de kristallen eruit en spoel je zowel de verstuiver als de kristallen grondig onder stromend water af. Daarna kun je de kristallen er weer in doen en deze methode opnieuw gebruiken.

DEEL VI

Veilig leven in de praktijk

14

Energetische profylaxe

Het woord 'profylaxe' is afkomstig uit het Grieks en betekent: veiligheid door voorzorgsmaatregelen. Gewoonlijk duiden we er middelen mee aan ter voorkoming van lichamelijke ziekten. In dit hoofdstuk gaan we het echter gebruiken voor de bescherming van de aura en voor andere aspecten van energetische hygiëne.

Helaas gaan mensen pas aan hun gezondheid werken als ze er problemen mee krijgen. Ze zijn dan tegelijk helend en therapeutisch bezig. Als je werkelijk zeggenschap over je energie wilt krijgen en wilt voorkomen dat je steeds opnieuw te maken krijgt met energetische aantastingen, dan moet je voorzorgsmaatregelen en energetische hygiëne tot een vast onderdeel van je manier van leven maken. Dat is de sleutel tot blijvende gezondheid en duurzaam welzijn!

Mijn principes voor energetische profylaxe hebben twee pijlers:

* Een veerkrachtige aura
* Authentieke persoonlijke vibraties

Als je aura in balans is, dan is de buitenste laag ervan, de aurahuid, je beste door de natuur gegeven bescherming. De aurahuid heeft een rubberachtige eigenschap en kan toxische of schadelijke energie afstoten. Om de elasticiteit van je aurahuid te verbeteren, moet je je aura in balans brengen en voeden. Een krachtig en opgewekt energieveld stimuleert de aurahuid van binnenuit.

Volgens de wetten van vibratie en resonantie, die ik in deel 2 beschreven heb, hangt het soort energie dat je aantrekt sterk af van de vibraties die je uitzendt en van je vibratieradius. Met andere woorden: als het vibratiesignaal van je aura sterk en duidelijk is, kun je er, als een schip met sonar, je weg mee vinden door de zee van energiegolven die je omgeeft, zodat je je alleen verbindt met dat wat je positief stemt en heilzaam voor je is.

Laat me je nu tonen hoe je je aura en je persoonlijke vibraties kunt versterken.

Hoe je je aura versterkt

In de hedendaagse westerse maatschappij is een evenwichtige en goed gevoede aura een kostbaar en gewild goed geworden. Wij voelen ons dermate overweldigd door het leven en staan in zo'n hoge mate bloot aan wat er uit onze omgeving op ons afkomt, dat we instinctief proberen een buffer op te bouwen om onze innerlijke ruimte te beschermen. Omdat het ons daarvoor echter aan de juiste tools ontbreekt, nemen we onze toevlucht nogal eens tot drastische maatregelen – we zeggen bijvoorbeeld tegen onze geliefde dat hij ons met rust moet laten als we het druk hebben, we zetten een koptelefoon op als we naar buiten gaan, of we zoeken ons heil in de verste uithoeken van de wereld.

Wees je er alsjeblieft van bewust dat wanneer je op deze manier afstand schept en jezelf verweert, dit nooit zal leiden tot een krachtige aura of een overtuigend gevoel van innerlijke ruimte. Je blijft namelijk geloven in een illusie, want de pleisters waarmee je de wonden van je ziel tijdelijk bedekt worden er door de kracht van de energieën die je omringen steeds weer afgetrokken. Je aura is geen geïsoleerde ruimte, zoals we al hebben gezien. Je moet proberen om met behulp van gezonde persoonlijke grenzen en een overtuigd zelfbesef alert en open te blijven.

Waarom zijn grenzen zo belangrijk?
Heb je weleens uitgerekend hoeveel seconden een jaar heeft? Het zijn er 31.536.000. Dat lijkt ontzettend veel, maar dit getal slinkt enorm als we er het aantal seconden aftrekken dat we besteden aan eten, slapen, werken en al die andere activiteiten waartoe we iedere dag verplicht zijn.

Zelfs als we tachtig jaar oud worden, is de totale tijd die we besteden aan het realiseren van onze passies niet meer dan een jaar of zeven, acht. Laten we niet vergeten dat het leven maar kort is, en dus goed met onze kostbare tijd omgaan. Het zou ons meer bewust kunnen maken van het belang van een goed beveiligde persoonlijke ruimte, duidelijke persoonlijke grenzen en een authentiek leven. Anders komen we er op een dag achter dat we onze energie voor die zeven of acht kostbare jaren verbruikt hebben aan een zaak of een persoon die voor ons ware zelf helemaal niet belangrijk is. Wat een verspilling van ons leven!

Grenzen aangeven
Als jij zelf niet weet waar je grenzen liggen, weten andere mensen dat ook niet. Vandaar dat het voor ons allemaal heel belangrijk is om krachtige grenzen te stellen en die in stand te houden.

* Besluit welke grenzen voor jou het belangrijkst zijn en noteer die op een vel papier dat je op een zichtbare plek ophangt, om jezelf te herinneren aan jouw regels. Voorbeelden daarvan zijn: ga iedere avond om tien uur naar bed; werk niet in de weekenden; doe niet mee aan roddel. Vertel de mensen in je leven wat jouw grenzen zijn.
* 'Spreek niet tenzij het de stilte versterkt' is een van mijn favoriete boeddhistische uitspraken. Neem alleen deel aan gesprekken en activiteiten die met jou resoneren of je een positief gevoel geven. Natuurlijk kun je daarvan afwijken, maar doe dat alleen als het een persoonlijke beslissing is, en dus niet in reactie op bijvoorbeeld manipulatie.
* Sta niet toe dat mensen je grenzen overschrijden, bijvoorbeeld door je ongevraagd advies te geven, je intieme vragen te stellen of op een onaangename manier lawaai maken.

* Breng je vrije tijd door met mensen bij wie je je op je gemak voelt, met mensen die je inspireren of met mensen met wie je een interesse deelt. Lees deel 2 nog eens door, over hoe je je sociale contacten filtert.
* Vraag altijd toestemming voordat je iemands persoonlijke ruimte binnengaat en verwacht van anderen dat zij bij jou hetzelfde doen. Stel deze vraag niet vanuit kille, egoïstische arrogantie, maar vanuit warme vriendelijkheid en zelfliefde.
* Heb respect voor jezelf en omarm je rechten als individu. 'Nee' is een complete zin. Je bent niemand verantwoording schuldig als iets voor jou niet goed voelt of als je je niet gerespecteerd voelt. Niemand mag jou manipuleren om je ertoe te brengen de behoeften van anderen belangrijker te vinden dan die van jezelf. Jij mag daartoe wel zelf besluiten, maar je er nooit toe laten dwingen. Doe nooit iets uit schuldgevoel.
* Een gering gevoel van eigenwaarde is de meeste voorkomende vorm van aantasting van je grenzen. Probeer daarom iedere dag deze affirmatie voor het heiligbeenchakra te doen: 'Ik ben het waard'. Je grenzen aangeven is geen genotzuchtige, frivole luxe, maar een basale menselijke noodzaak, een fundamenteel aspect van je natuurlijke mechanismen tot zelfbehoud.
* Laat je gedrag voor je spreken, meer nog dan je woorden. Mensen zijn eerder geneigd je grenzen te overschrijden als je daden, je lichaamstaal en de energie van je woorden niet met elkaar overeenstemmen.
* Je grenzen mogen er niet toe leiden dat je aura een bunker wordt, en jijzelf een door angst bevangen kluizenaar. Sta open voor het leven en pak de psychische trauma's uit je jeugd aan, zodat je je niet meer hoeft te verstoppen om jezelf te beschermen.
* Voel je niet langer voor iedereen verantwoordelijk. Als je te veel mensen met je 'meedraagt', heb je geen persoonlijke grenzen meer.
* Niemand mag jou vertellen wat voor jou te veel is, alleen jijzelf bepaalt dat. Vertrouw daarvoor op je intuïtie. Jij alleen weet bijvoorbeeld of één glas wijn genoeg voor je is, of dat je wel een halve fles op kunt.

* Zorg goed voor je woning. Als healer heb ik gemerkt dat een leefruimte waarmee je je niet verbindt, of een woning die zich vult met spullen, met energetische rommel, leidt tot ondermijning van je grenzen. Je creëert daarmee bovendien zoals je inmiddels weet een plek waar zich energetische schimmels kunnen nestelen.
* Leef bewust, dan kun je je daadwerkelijk met de wereld om je heen verbinden en vlieg je niet voortdurend op de automatische piloot. Gebruik je dagelijkse bezigheden als een gelegenheid om je te oefenen in meditatief aanwezig zijn. Richt je aandacht op wat je doet en ban afleiding uit – probeer dit te doen als je je afdroogt na het douchen, als je naar je werk loopt of een van je andere dagelijks terugkerende taken. Verbind je met al je zintuigen met dat wat je aan het doen bent en de dingen om je heen. Dan kun je volledig bewust aanwezig, assertief en alert zijn en heb je zeggenschap over je omgeving. Bovendien activeer je zo je sushumna, de meridiaan van het nu.
* Leer om je prettig te voelen in je eigen vel. Neem de tijd om je bewust te verbinden met de tempel van je fysieke lichaam; doe dat bijvoorbeeld als je je huid met lotion insmeert, als je eten klaarmaakt of als je je schoenen aantrekt. Je volledig verbinden met wat je doet is gezond voor je lichaam en zorgt ervoor dat je lekker in je vel zit.

Versterk dit besef door je beter af te stemmen op je emoties en gevoelens. Op welke manier veranderen die door de dag heen? Welke gevoelens en gewaarwordingen merk je op in je lichaam? Als je de koelkast opendoet omdat je op zoek bent naar iets om te eten, doe je dat dan omdat je echt honger hebt? Misschien heb je dat blokje kaas eigenlijk niet nodig, maar ben je feitelijk ergens boos over, maak je je zorgen over je kind of verveel je je en heb je behoefte aan afleiding. Erken wat je voelt. Je persoonlijke grenzen zullen aanzienlijk sterker zijn als je je bewust bezighoudt met zelfreflectie.

* Houd op met aardig doen tegen iedereen.
* Leer om te ontvangen. Dankbaarheid en waardering zijn van essentieel belang voor de gezondheid van onze grenzen en onze aura in het algemeen. Daardoor verandert onze houding en leggen we de nadruk op het positieve in plaats van het negatieve. We voorkomen dat we op zoek gaan naar toxische energie om bij aan te haken. In plaats daarvan erkennen en waarderen we het positieve in ons leven en trekken we daarvan meer aan. Ook bereid je je aurahuid op die manier voor om nog meer positiviteit op te nemen, waardoor je aura een nog breder scala aan positieve vibraties zal oppikken.

Beheers je innerlijke weersgesteldheid

Je aura gedijt niet alleen goed als je gezonde grenzen creëert, maar ook als je je innerlijke ritmes beheerst en respecteert. Je bent je waarschijnlijk al bewust van de manier waarop negatieve emoties en gedachten je afleiden en ervoor zorgen dat je je innerlijke rust kwijtraakt. Je kunt af en toe het gevoel hebben dat je in het oog van een wervelstorm zit. Ik hoop dat de inzichten die ik in dit boek met je heb gedeeld, je zullen helpen greep te krijgen op je emotionele, mentale en energetische reacties.

Hier wil ik nog twee biologische en fysiologische triggers noemen die ertoe kunnen leiden dat je te heftig reageert, dat je je innerlijke energiestroom saboteert en dat je je aura uit balans brengt:

* een overactieve amygdala
* verstoorde dagritmes

Mensen die zich alleen bezighouden met metafysische manieren om de aura in balans te brengen, zien deze twee aspecten vaak over het hoofd, wat verklaart waarom zo veel mensen in een innerlijk instabiele toestand verkeren. Als we onze aura in balans brengen, moeten we ons verbinden met ons fysieke lichaam en ons er nauwkeurig op afstemmen. Laten we deze triggers nader bekijken.

Een overactieve amygdala

De amygdala is een klein onderdeel van de hersenen dat je kunt zien als de emotionele wekker van het lichaam. Hij regelt onze biologische reactie op angst voor dingen in het heden, maar (en dit is cruciaal) reageert ook op angsten die wij ons herinneren uit het verleden. Veel mensen zitten vast in een negatieve kijk op de dingen en kunnen niet goed meer het onderscheid maken tussen negatieve gebeurtenissen uit het verleden en wat ons feitelijk in het heden overkomt. Er is dan een voortdurende neiging om negativiteit uit het verleden te projecteren op het heden.

Als negatieve gedachten voortdurend de boventoon voeren, wordt onze amygdala overactief en hyperalert. Ons zenuw- en hormoonstelsel reageert daar weer op, wat leidt tot overdreven heftige reacties, die vervolgens een gewoonte worden. Vaak noemen we angsten en zorgen in één adem, maar het zijn verschillende dingen. Angst is een reactie op feitelijk gevaar, terwijl je zorgen maken een reactie is op dat wat je als bedreigend ziet.

Een overactieve amygdala zorgt ervoor dat je onnodig paranoïde reageert op energiezuigers en andere aantastingen van je energie. Je hersenen ondersteunen deze negatieve instelling neurologisch. Je kunt een uit balans geraakte amygdala zien als een inbraakalarm dat verkeerd staat afgesteld: het gaat steeds af, omdat het overal inbrekers ziet.

Interessant is dat de amygdala niet alleen aanzet tot een vecht-of-vlucht-reactie, die vaak in verband wordt gebracht met angst, maar ook met de reactie van verstarren. Ik kom in mijn praktijk vaak cliënten tegen die 'prettig verdoofd' zijn. Ze lopen niet weg voor problemen, maar zien die ook niet onder ogen. In plaats daarvan verstarren ze min of meer en maken zich los van het heden. Ze dissociëren. Energetisch gezien probeert hun aura te verdwijnen in plaats van de werkelijkheid van de uitdaging die er ligt onder ogen te zien.

Deze verstarring is een enorm uitputtende toestand en het vergt een complexe therapeutische benadering om de cliënt weer levendig en alert te krijgen. Helaas raken veel mensen aan deze verstarde toestand gewend; ze gaan die normaal vinden.

Vergeet niet dat de amygdala voortdurend op de uitkijk staat en bij gevaar, reëel of ingebeeld, de overlevingsrespons activeert. Daarom is het, nogmaals, zo belangrijk om een gezondere, neutralere kijk op de werkelijkheid te ontwikkelen, in plaats van steeds automatisch een negatieve houding aan te nemen.

Je amygdala heropvoeden

Je amygdala mag niet de baas worden over jouw energie. Jij moet dat zijn! Gelukkig kun je iets doen om dit deel van je hersenen te trainen, zodat het zijn ijzeren greep opgeeft:

* Druk op de 'pauzeknop' voordat je reageert: cultiveer de toestand van waarnemer die ik in hoofdstuk 11 beschreven heb. Twee meditaties, 'De neutrale toestand' en 'De periscoop', zijn heel geschikt om te leren een evenwichtiger houding te verkrijgen.
* Laat je jouw momenten niet afpakken. Blijf in het heden door mindfulness te beoefenen en je met de energie van het nu te verbinden.
* Voed je amygdala door dingen te doen waar je blij van wordt. Als je je werkelijk verbindt met een activiteit die je plezier en vreugde geeft, al is het maar voor een halve minuut, dan reguleer en herstel je je amygdala. Word je zo vaak als je kunt bewust van zintuiglijk genot, laat het echt tot je doordringen – ruik aan een roos, strijk je kind door het haar, volg een bij die door je tuin zoemt, of doe iets anders wat een glimlach op je gezicht tovert.
* Gebruik iedere dag affirmaties, zodat je je hersenen programmeert voor een evenwichtige perceptie en een positieve instelling.
* Eet gezond voedsel, rijk aan vitamine D, B3, B5 en C, en aan L-theanine, GABA, magnesium, zink en omega-3. Serotonine, de neurotransmitter die geluk en welzijn bevordert, wordt in de darm geproduceerd; vandaar dat probiotica ook belangrijk zijn voor het verbeteren van je algehele stemming.

Verstoorde circadiaanse ritmes

Ons slaap-waakritme, onze spijsvertering en de afscheiding van hormonen worden geregeld door onze circadiaanse ritmes, onze biologische klok. Deze ritmes helpen ons ook bij de aanpassing aan onze omgeving.

Als je een chaotisch leven leidt, destabiliseer je je circadiaanse ritmes, waardoor ook de balans en de harmonie van je vibraties ondermijnd worden. Je verliest de schoonheid van je innerlijke melodie. Vergeet niet dat je fysieke lichaam de zichtbare laag van je aura is, dus als je de ritmes van die laag in balans brengt, bevorder je ook de harmonie in de andere lagen.

Je circadiaanse ritmes in balans brengen

Hier zijn een paar dingen die je kunt doen om je circadiaanse ritmes te ondersteunen en in balans te brengen:

* Houd geregelde tijden aan om naar bed te gaan en op te staan.
* Stel jezelf 's nachts zo min mogelijk bloot aan kunstlicht, met name aan het blauwe licht van digitale schermen.
* Beperk de hoeveelheid kunstmatige stimulerende stoffen die je gebruikt, zoals koffie.
* Wees er met je aandacht bij als je eet en concentreer je op het kauwen.

Jouw authentieke vibraties

Het gaat in dit boek over zeggenschap krijgen over jouw vibraties. Als je je vibraties wilt versterken, moet je eerst duidelijkheid krijgen over wie jij bent. Alleen authentieke persoonlijke vibraties leiden tot een krachtige, positieve trillingsfrequentie van je energieveld of aura en kunnen tot uitdrukking brengen wat bij jou past.

Michelangelo zei ooit over een van zijn beroemde meesterwerken: 'David zat al in het marmer… ik hoefde alleen maar weg te halen wat hij niet was'. In mijn werk met energie heb ik datzelfde uitgangspunt. We hoeven alleen maar bloot te leggen wat al aanwezig is, want in essentie zijn wij allemaal lichtwezens met een unieke signatuur.

Laten we beginnen met onszelf zo goed mogelijk leren kennen. We moeten er allemaal achter komen wat voor ons het belangrijkst is, wat onze waarden zijn, en op die manier alle aspecten van onze persoonlijkheid ontdekken. Het gaat erom dat we bereid zijn intiem te worden met onszelf, ons te verbinden met ons ware zelf, ook als we het niet leuk vinden wat we daarbij ontdekken. Als dit idee nieuw voor je is omdat je je nog nooit werkelijk intiem met jezelf verbonden hebt, begin dan met kleine stapjes.

Ontdek je energetische identiteit

Wat is de signatuur van je levenskracht? Zoals je weet heeft ieders energie een unieke trillingsfrequentie, dus die van mij verschilt van die van jou. Die verschillen doen er niet toe. Waar het om gaat is dat we, als we goed en gezond leven, een authentiek leven leiden.

potentieel van je aura (omvang) + jouw unieke trillingsfrequentie + jouw authentieke vibratie = jouw energetische identiteit

We moeten ons bewust zijn van onze energetische identiteit. Als mensen zich gewassen hebben, dan ruiken ze aangenaam. Op dezelfde manier ervaren wij mensen als vol van licht, wanneer ze leven vanuit hun authentieke energie. In hun aanwezigheid voelen we ons beter. We weten dat deze mensen een heldere energie hebben en ook al zien we die niet, we voelen die wel. In Rusland zeggen we dan dat iemand een 'heldere persoon' is – zoals een heldere hemel geen wolken kent.

De volgende oefeningen helpen je om jouw energetische identiteit te ontdekken en te begrijpen. Weet wel dat het onthullen van het potentieel van je aura en het verfijnen van je authentieke trillingsfrequentie doelen zijn waar je je hele leven aan blijft werken. Ik zie deze doelen niet als taken die je één keer op je neemt, maar als een doorgaand avontuur van zelfontdekking. Je intuïtie zal je vertellen of je op de juiste weg bent.

Je innerlijke pikorde

Wat is in jouw leven de pikorde? Je kunt met deze vraag iets leuks doen. Stel je vijf boven elkaar geplaatste stokken voor, waarop kippen zitten. Dit zijn de prioriteiten in je leven. Jijzelf zit op de bovenste stok. Waar op de lager gelegen stokken situeer jij je verschillende behoeften en verlangens?

De volgende oefening helpt je om vast te stellen wat je kernwaarden en overtuigingen zijn.

Ontdek je kernovertuigingen

Kies een moment waarop je niet wordt gestoord. Schakel je telefoon en alle andere zaken die je kunnen afleiden uit. Neem een vel papier en een pen of potlood – gebruik hiervoor dus niet je telefoon of computer!

Intentie: een krachtig zelfbeeld en gevoel van identiteit in stand houden.

1. Ga rustig zitten en adem langzaam. Mediteer over de vraag wat in jouw leven het meest waardevol en belangrijk is. Het kan om maar één ding of persoon gaan, maar ook om meer.
2. Schrijf op welke gedachten er in je opkomen, zonder ze te beoordelen of aan te passen. Laat je ideeën gewoon stromen.
3. Als je klaar bent, bevestig je het vel papier op een zichtbare plek, bijvoorbeeld boven je bureau, aan je koelkastdeur of in de badkamer, zodat je er verschillende keren per dag naar kunt kijken. Op die manier herinner je jezelf steeds weer aan wat in het leven jouw waarden, overtuigingen en prioriteiten zijn.

Nadat je de volgende oefening het gedaan, kun je eventueel nog meer vragen toevoegen, als die relevant zijn voor het leven dat jij leidt.

Waarin ben jij anders?

Ga rustig zitten met een pen en een schrijfblok (geen elektronisch apparaat), op een plek waar je niet wordt gestoord. Overdenk de volgende vragen en noteer je antwoorden.

Intentie: ontdekken en genieten van de dingen waarin jij uniek bent.

* Wat maakt jou uniek?
* Waarin verschil je van je ouders?
* Waarin verschil je van je broers en zussen?
* Waarin verschil je van je partner?
* Waarin verschil jij van je beste vrienden?
* Waarin verschil je van je collega's?
* Waarin verschil jij van de etiketten die mensen jou opplakken?
* Waarin verschil je van de bijnamen die anderen je geven?
* Waarin verschil je van de regels en ideeën die je tijdens je opvoeding zijn opgedrongen?

Het kan zijn dat je niet elke vraag direct volledig kunt beantwoorden. Laat de ideeën maar gewoon komen en voeg ze toe wanneer ze je te binnen schieten. Geleidelijk aan bouw je zo een duidelijk beeld op van jouw unieke energetische identiteit.

Wat maakt voor jou het leven goed?

Neem wat tijd voor jezelf en ga ergens rustig zitten, met een pen en een schrijfblok bij de hand.

Intentie: jezelf herinneren aan wat je gelukkig maakt.

1. Denk aan alle dingen die het leven voor jou goed maken. Concentreer je op bezigheden die je graag doet. Noteer die en laat ruim voldoende ruimte vrij tussen de bezigheden die je noemt.
2. Denk nu aan de eerste bezigheid en schrijf op wat je er zo prettig aan vindt. Ga door met de tweede bezigheid en werk zo de lijst af.
3. Noteer nog meer bezigheden die bij je bovenkomen en beschrijf waarom je ze leuk vindt.
4. Kijk nu naar al je bezigheden. Zijn er belangrijke gemeenschappelijke aspecten aan te wijzen, zoals creativiteit, met anderen samen zijn of juist liever alleen? Als je weet welke aspecten voor jou belangrijk zijn, kun je meer bezigheden gaan zoeken die daaraan tegemoetkomen.

Voor de volgende oefening heb je een grote map of een ordner nodig. Gebruik liever niet een oude of gebruikte, maar koop er speciaal een die je mooi vindt, zodat je een goed gevoel krijgt als je ernaar kijkt.

Jouw map met successen

Intentie: jezelf herinneren aan behaalde successen als je proactief bezig bent, en erkennen en waarderen wat je hebt bereikt.

* Verzamel bewijzen van de dingen die je hebt bereikt in je leven en doe ze in je map of ordner. Het kunnen alle mogelijke dingen zijn waar jij een goed gevoel over hebt, van diploma's tot foto's waarop je iets doet waar je trots op bent. Je successen hoeven niet alleen die dingen te zijn waarvoor je van anderen erkenning hebt gekregen; het kunnen ook heel goed dingen zijn waarop jijzelf trots bent en die jij als successen ziet.

* Als je geen concrete bewijzen hebt van iets wat je hebt bereikt, beschrijf het dan op een vel papier of een kaart en voeg die toen aan de map toe. Je wilt misschien beschrijven dat je een goede ouder bent geweest, of hoe je een keer voorkomen hebt dat iemand ergens slachtoffer van werd.
* Noem ook wat je hebt bereikt door je instincten en je intuïtie te volgen, door van moment tot moment je eigen beslissingen te nemen, in plaats van te doen wat anderen van je verwachten.

VIP tegenover VAP

De laatste jaren vindt er een fascinerende verschuiving plaats in hoe wij omgaan met ons streven, onze motieven, onze doelen en ons leven in het algemeen. Gezondheid is de nieuwe voorspoed, vriendelijkheid het nieuwe cool, en voldoening het nieuwe succes. Ik denk dat authentiek zijn de nieuwe rijkdom moet worden.

Status najagen op je werk of in de maatschappij met de bedoeling beter door anderen behandeld te worden is een streven dat op zijn retour is in onze moderne wereld. Een belangrijk persoon zijn, een VIP, lijkt misschien aantrekkelijk, maar legt toch vooral de nadruk op individuele status: het is een teken dat je gewaardeerd wordt omdat je indruk maakt op anderen.

Dit is een concept dat is uitgebuit door de dienstensector, die probeert geld van ons los te krijgen door ons ego te strelen. Sommige mensen zijn ervan overtuigd dat ze het gemaakt hebben in het leven omdat ze een jacht hebben, in een aparte loge van het theater zitten of meer dan één huis hebben. Ik beweer daarentegen dat niemand zichzelf rijk of succesvol zou mogen noemen die geen zeggenschap heeft over zijn of haar energie.

Laat ik duidelijk stellen dat ik niets heb tegen financiële rijkdom, roem, status of positie. Daar mag je met recht van genieten! Als healer blijf ik echter met een vraag zitten: wat was de reden om hiernaar te streven en welk prijskaartje hangt eraan voor wat betreft je levenskracht? Als je drijfveer werkelijk het verlangen was naar vervulling, gebaseerd op jouw waarden, diepe oprechtheid en authenticiteit, dan zeg ik: chapeau!

Toch denk ik dat we uiteindelijk onze focus zullen moeten verleggen van een VIP willen worden, naar een VAP willen zijn: een *Very Authentic Person*. Een VAP zijn heeft niets te maken met snobisme, met bezittingen vergaren of met beter willen zijn dan anderen. Waar het om gaat is dat je de beste versie van jezelf wordt. We zien hoe steeds meer mensen hun focus op deze manier verleggen: zij streven niet langer naar succes maar gaan op zoek naar voldoening, en in plaats van materieel bezit te vergaren, richten ze zich op spirituele ervaringen.

Glamourfeesten en extravagante vakanties, bedoeld om te laten zien hoe rijk je bent en je lichaam in vervoering te brengen, maken plaats voor bezoekjes aan wellnesscentra en goed zorgen voor jezelf. Het gewone leven, welzijn en de gezondheidszorg worden getransformeerd door een nog niet eerder waargenomen vraag naar eerlijke producten en op de persoon toegesneden behandelingen.

Als VAP zijn we niet geïnteresseerd in hoe anderen ons zien. Het gaat ons alleen om de manier waarop we met onszelf omgaan en onze relatie met ons Zelf. Als VAP zijn wij niet afhankelijk van status; het gaat niet langer om wat we bezitten, wie we kennen of hoeveel geld we op de bank hebben, maar om wie we werkelijk zijn. Misschien is dit wel de meest exclusieve club waartoe je kunt behoren! Het lidmaatschap is namelijk niet te koop; je kunt alleen lid worden als je je erop toelegt om een authentiek mens te zijn en de baas te worden over je eigen energie. De luide en duidelijke vibraties van jouw unieke energetische identiteit zijn je lidmaatschapskaart.

De levensstijl van een vap

Een VAP zijn houdt in dat je in harmonie bent met zowel jezelf als de wereld om je heen. Het houdt ook in dat je weigert om je energie te verspillen aan toxische mensen of oppervlakkige ontmoetingen. Als VAP ga je er niet in mee als mensen emotioneel stil blijven staan bij het verleden, en je geeft je ook niet over aan zelfmedelijden als er dingen fout gaan. Je analyseert je problemen zo constructief mogelijk en probeert anderen altijd zo goed mogelijk te helpen.

Een VAP laat zich niet leiden door de energie van armoede – je zegt dus niet tegen jezelf dat je het niet waard bent om het beste te krijgen of te gebruiken. Je eet kwalitatief hoogwaardig en gezond voedsel, en je gebruikt natuurlijke, biologische producten. Voor jou maakt het uit waar de producten die je koopt vandaan komen, want je hebt zorg voor de wereld, de natuur en de gemeenschap waarvan je deel uitmaakt.

Je genereert je eigen energie en gebruikt niet die van anderen om jezelf een oppepper te geven. Je bent in de flow. Als VAP heb je niet de instelling van een consument. Je bent op zoek naar partners op je levensweg, in plaats van dat je mensen betaalt om iets voor je te doen. Je leidt een authentiek bestaan op basis van je eigen instincten en impulsen. Je kopieert anderen niet en je geeft met duidelijke grenzen aan wat jouw persoonlijke ruimte is, waarbinnen jouw rust heerst. Je bent de baas in je eigen wereld. Je bent geen chaotisch samenstel van angsten, beperkingen en maatschappelijke en sociale conditionering. Tegelijkertijd leef je een bescheiden en nederig bestaan.

Voor jou als VAP zijn hobby's ook belangrijk, maar je kiest je vrijetijdbesteding altijd zo dat die een weerspiegeling vormt van wat jij werkelijk interessant en prettig vindt; een hobby is voor jou niet bedoeld om indruk te maken op anderen of mee te gaan met wat in de mode is. Je schept met je leven ook een bepaalde chemie, waardoor het iets sprankelends krijgt, wat zichtbaar is in je ogen en voelbaar is in je aura.

Spiritueel snobisme

We moeten gaan begrijpen wat het wil zeggen om binnen onze eigen persoonlijke ruimte een kracht en een autoriteit te zijn, zonder dat we daarmee ons ego opjagen of onszelf boven de natuur en andere mensen plaatsen. Er moet dus sprake zijn van balans. Snobisme moet iets van het verleden worden. De energie die je uitstraalt zegt veel meer over jou dan wat je bezit. Besef dat alleen de energie van het ego schreeuwt;

je authentieke kern heeft een vriendelijke stem, niet een overheersende.

Dat geldt ook voor spirituele snobisme, zoals tijdens een perfect uitgevoerde asana in de yogales neerbuigend naar de beginners kijken, of de spot drijven met mensen die nog niet zo ver ontwikkeld zijn dat ze een bepaald inzicht kunnen begrijpen. Laat het varen. Het leven is geen wedstrijd en we moeten wat spiritualiteit betreft beslist niet met elkaar concurreren. We zijn allemaal bezig om onszelf te ontwikkelen.

Een spirituele snob kan alleen omhoogklauteren langs de ladder van het ego, die zich aan hem voordoet als spirituele ontwikkeling. Wat een energieverspilling!

Het masker

Als we proberen indruk te maken op anderen of ons in allerlei bochten wringen om erbij te horen, dan maken we onszelf tot energiedonoren; we doneren onze energie om iemands goedkeuring te krijgen. In dat geval, en in het algemeen telkens als we onszelf niet de ruimte geven om ons ware zelf te tonen, veroorzaken we aanzienlijke verstoringen en vervormingen in de stroom van onze authentieke levenskracht. Daarmee worden zowel onze innerlijke energie als onze persoonlijkheid onecht: een *imitatie* van wie we pretenderen te zijn in plaats van wie we werkelijk zijn. Uiteraard moeten we flexibel zijn en bereid tot compromissen, maar we moeten vermijden dat we onszelf daarmee afbreken.

De Amerikaanse schrijver John Updike zei: 'Beroemdheid is een masker dat je ware gezicht aantast'. In mijn eigen woorden zou ik het zo zeggen: wij nemen een persona aan waarvan we hopen dat die ons populairder of indrukwekkender maakt, maar uiteindelijk tast die ons gezicht aan en gaan wij ons vereenzelvigen met ons masker. Dit leidt ertoe dat we geen zeggenschap meer hebben over onze energie en ons vasthaken aan de energie van ons onechte zelf. En dat is het duurste masker dat er te krijgen is, want in de valuta van je levenskracht kost het je een fortuin.

Als VAP neem je nooit je toevlucht tot zo'n masker, maar accepteer en waardeer je je ware gezicht. We moeten allemaal leren wat het betekent om zonder masker te leven. In het begin kun je het gevoel hebben dat je zonder dat masker bijna naakt bent en heel kwetsbaar. Weersta alsjeblieft de verleiding om je masker weer op te zetten! Hoe meer zeggenschap je over je energie krijgt, hoe minder noodzaak je zult voelen om een masker te gebruiken.

15

Probiotica voor de aura

Probiotica zijn levende organismen die voorkomen in bepaalde voedselsoorten. Ze worden steeds populairder als voedingssupplement, ter instandhouding en verbetering van de bacteriekolonie die van nature ons spijsverteringskanaal bevolkt. Ook onze innerlijke, levende vibraties hebben energetische probiotica nodig, willen ze goed gedijen en zich kunnen aanpassen aan veranderingen.

Deze speciale probiotica vind je niet in de winkel. Met behulp van je eigen verbeelding en geestkracht kun je ze zelf voortbrengen. Dit is mijn formule hiervoor:

intentie + inspiratie + dankbaarheid = auraprobiotica

Zonder deze ingrediënten kan je aura niet goed functioneren. Je kunt je verbinden met verschillende bronnen van energie en daaruit putten, maar als het je in je leven ontbreekt aan intentie, inspiratie en dankbaarheid, wordt de kans dat je tot bloei komt erg klein.

* Door gebruik te maken van je denkkracht en een intentie te hebben, schep je een vibratiesjabloon voor het resultaat dat je bereiken wilt; deze zorgt ervoor dat jouw energie en die van het universum gaan stromen in de richting van dat resultaat.

* Door de hoge trillingsfrequentie van dankbaarheid ontstaat er in jou een toestand van waardering voor wat je hebt, voor het geschenk van het leven. Die toestand voorkomt dat je voorbijgaat aan het heden en zorgt ervoor dat je aura als een magneet positieve energie aantrekt.
* Inspiratie is een toestand waarin je goed bent afgestemd op je spirituele zelf. Het is een innerlijke vonk, een golf die je omhoogstuwt, en die ontstaat dankzij de chemie tussen je authentieke kern en de prikkels uit je omgeving.

Als je inspiratie hebt, voel je vuur in je zonnevlecht. Je voelt een oproep om in actie te komen ten behoeve van dat waarin je gelooft. Je komt moedig en trots op voor je authentieke ik. Ik hoop dat ik in dit boek je geestdrift heb kunnen wekken, door je te inspireren je goed af te stemmen op je aura en je innerlijke waarheid. Nu wil ik graag nog wat meer met je delen over de kracht van intenties, zodat je voor je leven de beste blauwdruk kunt creëren.

Intentie: jouw spirituele laser

In Rusland zeggen we dat er geen gunstige wind is als je geen richting hebt. Het is heel belangrijk dat je leven richting heeft. Pas dan kunnen jouw energie en het universum samenwerken en je ondersteunen.

Een intentie kun je zien als een positief gerichte beweging of, zoals ik het noem, een spirituele laser. Voor mij als healer is een intentie een sjabloon voor je bestemming. Je vormt er als het ware een groef mee, waar jouw energie en die van het universum samen doorheen gaan stromen om jou daar te brengen. Het eenvoudigste en meest gebruikte voorbeeld van een intentie is een affirmatie, een positieve uitspraak die jouw energie een specifieke vorm of richting geeft.

Trek tijd uit om te ontdekken welke bestemming en welke resultaten je wilt bereiken. Veel mensen ontbreekt het aan deze focus, met als gevolg dat ze hun energie versnipperen. Hun spirituele laser is niet krachtig genoeg om in het veld van energieën en sjablonen dat ons omgeeft een groef te vormen, en de eigen innerlijke ruimte in bezit te nemen.

Het is belangrijk dat je jezelf afvraagt wat je intentie is, zodat je zeker weet dat je wat je nastreeft ook werkelijk nodig hebt. Dat betekent dat je volkomen eerlijk moet zijn over wat er achter je intentie zit. Je denkt bijvoorbeeld dat je liefde wilt, maar daarachter ligt misschien dat je verlost wilt worden van je eenzaamheidsgevoelens. Je intentie moet een weerspiegeling zijn van jouw waarheid, anders heeft die geen kracht.

Ik beweer niet dat dit een eenvoudige zaak is! Om te ontdekken wat je werkelijke intenties zijn en eerlijk te zijn over jezelf, heb je grote moed en nederigheid nodig. Het kan dan ook tijd kosten voordat je je ervan bewust wordt wat je werkelijke intenties zijn. Wij verschuilen ons vaak achter illusies of excuses – of achter sprookjes als 'mijn leven is perfect als ik de man/vrouw/baan van mijn dromen vind' of 'als ik afgevallen ben'. Dit kunnen zulke belangrijke aspecten van onszelf worden, dat we er werkelijk in geloven.

Illusies en onechte redenen zijn afkomstig van onze innerlijke trol, niet van ons ware ik. Zoals we al besproken hebben, is onze innerlijke trol niet geïnteresseerd in ons geluk. Hij voedt zich met negatieve vibraties, en ons helpen meer licht te vergaren is wel het laatste wat hij wil. Geef dus alsjeblieft ruim voldoende aandacht aan het deel van jezelf dat je intenties formuleert.

Je denkt misschien dat begeerten en intenties hetzelfde zijn, maar dat is niet zo. Begeerte is een toestand met een heel lage trillingsfrequentie en richt zich doorgaans op onmiddellijke bevrediging en een oppervlakkig resultaat, met desillusie en teleurstelling als gevolg. Begeerte draagt een belangrijke component van levensangst in zich en houdt verband met 'ik wil'. Een intentie daarentegen richt zich op wat we nodig hebben en wat ons hogere zelf dient.

Het geheim van de juiste intenties

Als je zeker weet dat je intentie gezond en positief is, dan moet je die zo verwoorden dat je het beoogde resultaat ook bereikt. Eerder heb ik al uitgelegd dat het erg belangrijk is om niet te benoemen waar je van verlost wilt worden, maar juist positieve bewoordingen te kiezen.

Kijk ook naar het grote geheel en dus niet alleen naar de gefragmenteerde aspecten van je eigen leven. Als je bijvoorbeeld pijn in je rug hebt en je wilt daarvan af, dan moet je je niet op die pijn richten, maar juist op de gezondheid van je hele lichaam. Pas dan kan het gezond gaan functioneren, zoals de natuur het bedoeld heeft.

Daarnaast is het erg belangrijk om een intentie te kiezen die niet alleen jezelf maar ook anderen ten goede komt. Dat wil niet zeggen dat je offers moet brengen, of jezelf op de laatste plaats moet zetten. Het gaat erom dat je onderzoekt hoe de intentie die je gebruikt ook anderen of de wereld ten goede kan komen.

Jezelf dienstbaar maken aan het grote geheel kan heel eenvoudig zijn. Laten we zeggen dat je je energieniveau wilt verhogen; je hebt de intentie om vol van vitaliteit en energie te zijn. Daar heb jij niet alleen baat bij, want je kunt daardoor ook beter zorgen voor de mensen die je dierbaar zijn, of bijvoorbeeld energie steken in vrijwilligerswerk.

Dankbaarheid

Wij zien dankbaarheid vaak als een vorm van beleefdheid. Ik wil je echter aansporen om dankbaarheid te gaan zien als een allesomvattende emotionele of zelfs spirituele zijnstoestand.

Dankbaarheid is een innerlijke houding waarmee je naar het leven kijkt. Dankzij deze houding wordt je aura aantrekkelijker. Die zal hierdoor niet alleen mooier stralen, maar ook meer positieve vibraties met een hoge trillingsfrequentie aantrekken. Zoals Oprah Winfrey al zei: ‘Wees dankbaar voor wat je hebt, dan ontvang je meer. Als je je concentreert op wat je mist, heb je nooit genoeg’.

Dankbaarheid neutraliseert ook het toxische effect van negatieve energieën om je heen. Door dankbaarheid te voelen, richt je je energie op de sushumna, op het nu. Als we niet dankbaar zijn voor wat we hebben, waarderen we het heden niet, en als je alleen bezig bent met wat je mist, trek je volgens de wet van resonantie de lagere trillingsfrequentie van gebrek aan.

Ik raad je dus aan om, telkens als je bidt of mediteert op een intentie, eerst je dankbaarheid te uiten voor wat je hebt, en pas daarna om iets anders te vragen, in plaats van alleen iets te vragen en te verwachten dat je het krijgt. Veel mensen slagen er niet in een betere energie en een beter leven te krijgen, omdat je nu eenmaal geen goede magneet kunt zijn als je niet verankerd bent in het huidige moment en geconcentreerd blijft op gebrek. Vergeet niet dat je focus je werkelijkheid vormgeeft!

Gelukkig kunnen we allemaal dankbaarheid ontwikkelen. Neem in plaats van te klagen over je problemen en de omstandigheden waarin je verkeert, eens de tijd om te kijken naar alles wat je hebt. De Franse romanschrijver Alphonse Karr heeft eens gezegd: 'Sommige mensen mopperen er altijd over dat rozen doornen hebben. Ik ben dankbaar dat doornen rozen hebben!' Probeer stil te staan bij de terreinen van je leven waarop de rozen bloeien, en laat je niet verblinden door de doornen die je daar ziet. Hoe meer dankbaarheid je voelt, hoe meer mooie en positieve dingen je om je heen ziet. Je hoeft alleen maar je innerlijke antenne te trainen om de goede dingen op te pikken.

Ik raad je aan om elke avond voordat je gaat slapen een virtueel dankbaarheidsdagboek bij te houden. Stel je drie positieve dingen voor die de afgelopen dag zijn gebeurd. Dat hoeven geen grootse gebeurtenissen te zijn. Het gaat om eenvoudige momenten, zoals de warmte van de zon op je gezicht toen je in de file stond, of een omhelzing van iemand die je dierbaar is. Het geheim is je deze dingen zo levendig mogelijk voor te stellen, bijna alsof je dit gevoel met al je zintuigen opnieuw ervaart. Glimlach dan tegen jezelf en voel je met je hele wezen dankbaar.

Een van mijn cliënten vertelde mij dat ze een 'grote pot met dankbaarheid' had. Een grote lege pot had zij mooi versierd en daar deed ze elke dag een papiertje in waarop ze drie positieve gebeurtenissen had geschreven. Ze geniet van deze voorraad positiviteit in huis, die haar voortdurend herinnert aan alle meevallers in haar leven. Wees niet bang om je zegeningen te tellen!

Zet iedere ochtend voor je naar je werk gaat een onzichtbare positieve bril op. Kies ervoor om een evenwichtiger en positievere kijk op het leven te hebben. Probeer je te richten op waardering en dankbaarheid, zodat je het geschenk van het leven niet als vanzelfsprekend beschouwt. Je zult merken dat het universum dit begint te weerspiegelen, waardoor jij steeds meer schoonheid en overvloed gaat ervaren.

DEEL VII

Vernieuw je energie met Alla

16

De energetisch helende krachtmeditatie: verbind je met je aura-energie

Aan jou of aan je aura hoeft niets gerepareerd te worden, om de eenvoudige reden dat er niets kapot aan is! Je energie kan geblokkeerd, verward, aangetast of uitgeput zijn, maar niet kapot. Ik probeer je in dit boek niet te repareren, maar je te helpen jezelf te ontplooien, jezelf te bevrijden, en te leren genieten van wie je werkelijk bent.

Het is je geboorterecht om je met je eigen energie te verbinden, je die eigen te maken en die te gebruiken. Vandaar dat ik een speciale meditatie heb bedacht om jou te helpen toegang te krijgen tot je aura-energie en er gebruik van te maken. Deze meditatie maakt deel uit van een nieuwe categorie helende meditaties, waarmee je alle lagen van je aura maximaal van positieve vibraties voorziet, en je levenskracht op het diepste niveau activeert. Ik noem deze meditatie een krachtmeditatie, omdat je tijdens het meditatieproces zowel je eigen krachtreserves aanboort als de uitwendige krachten van de natuur gebruikt, om zo jouw unieke trillingsfrequentie tot leven te wekken.

Dit is niet een korte meditatie die snel resultaat oplevert. Vandaar dat ik je vraag om mij in dit laatste gedeelte van het boek te volgen op een helende reis. Op het eind daarvan vormen jouw stralende aura en de authentieke melodie van jouw ziel dan de grootse finale van dit boek!

Je weet inmiddels welke belangrijke rol chakra's en meridianen spelen als je jezelf gezond wilt houden of wilt helen. Je weet ook hoe je aura in elkaar zit en welke functies de verschillende lagen ervan hebben.

De rondwervelende energie van de chakra's straalt door de eerste drie lagen van je aura heen, de fysieke, de emotionele en de mentale laag.

In deze krachtmeditatie gebruik je veelkleurige zintuigvisualisaties voor de emotionele laag, affirmaties voor de mentale laag, en zorgvuldig uitgewerkte ademhalingstechnieken voor de fysieke laag.

Tijdens de meditatie maak je maximaal gebruik van al je zintuigen. Dankzij de combinatie van gevisualiseerde beelden en krachtige verbale uitspraken betrek je je beide hersenhelften bij het proces. Op deze manier krijg je een evenwichtiger perceptie van de werkelijkheid om je heen, wat van cruciaal belang is voor een duurzame gezondheid.

Richtlijnen voor de meditatie

Hoe vaker je deze meditatie doet, hoe beter de resultaten. Maak van deze meditatie een essentieel onderdeel van je energetische hygiëne. Zie het maar als een douche nemen ten behoeve van je aura!

* Zoals elke meditatie kun je ook deze het beste voor je ontbijt of na je werkdag doen (maar het liefst niet vlak voor je gaat slapen). Luister echter naar je intuïtie, en doe de meditatie op het voor jouw gevoel juiste moment.
* Als je wilt kun je de tekst van de meditatie inspreken en de opname afspelen als je de meditatie doet. Je kunt ook steeds een stadium lezen in het boek en die vervolgens uitvoeren. Kies de manier die voor jou goed voelt.
* Tijdens de meditatie wil ik graag dat je inademt door je neus en uitademt door je mond. De uitademing moet op een zucht lijken. Ontspan daarbij alsjeblieft je hele gezicht, met name je lippen.
* Zoek voordat je met de meditatie begint een plekje waar je prettig kunt zitten of liggen zonder in slaap te vallen (zitten heeft de voorkeur). Doe sieraden en dergelijke af, zorg voor gemakkelijk zittende kleding van natuurlijk materiaal, laat je haar los hangen en draag het liefst geen make-up. Zorg ervoor dat je armen en je benen onderling niet gekruist zijn. Ten overvloede: schakel je telefoon uit! Dit moment is er voor jou; je hebt een afspraak met je ziel.

Laten we dan nu beginnen.

De krachtmeditatie: verbind je met je aura-energie

Richt eerst je aandacht een paar minuten op je ademhaling en breng je gedachten tot rust. Ontspan je op de kalme golven van je ademhaling. Adem in, houd je adem even vast en richt je aandacht op het midden van je borst. Maak je uitademing een paar seconden langer dan je inademing. Terwijl je hiermee bezig bent, begin je te bedenken voor welke dingen in je leven je dankbaarheid voelt, zoals de bezittingen waar je blij mee bent en de dingen en personen waar je echt van houdt.

Met elke ademhaling glijdt je lichaam dieper in de ontspanning. Terwijl je lichaam zwaarder wordt, merk je dat je spirituele innerlijk lichter wordt. Plant nu je intentie in de meditatie en zeg in gedachten: 'Ik zal mijn totaliteit in ere herstellen. Ik bouw mijn eigen innerlijke harmonie op. Ik zet mij ten volle en met toewijding in voor mijn ware zelf. Ik eer mijzelf en ik houd van wie ik werkelijk ben'.

Stel je nu voor dat je lichaam een boom is. Er groeien wortels uit je voeten, een boomstam door je wervelkolom en nek, en takken uit je hoofd. Ga met je aandacht naar je voeten. De wortels van de boom groeien steeds dieper de aarde in. Je kunt vanuit het middelpunt van de aarde een onvoorstelbaar grote kracht voelen trekken. Dankzij deze kracht groeien je wortels steeds dieper, naar de kern van de aarde.

Voel naar de aarde een diepe dankbaarheid voor het lichaam waarin je ziel kan wonen, voor het voedsel dat je nuttigt, voor je materiële bezittingen, je huis en je geld, voor het feit dat je overleeft en voor alle aardse genoegens. Doordring je lichaam met dit gevoel van dankbaarheid en waardering, en straal liefde uit naar de aarde. Vraag de aarde om deze energie te accepteren. Voel dan hoe de aarde je liefdevol antwoordt, door je een koele, blauwe kristalenergie te sturen, als een stroom bronwater die door jou via de wortels van je voeten, de stam van je rug en de takken van je armen omhoog stroomt, je hele lichaam door.

Zeg tegen jezelf: 'Ik ben afgestemd op de energie van de aarde en sta mezelf toe die energie te ontvangen'. Blijf bij dit gevoel. Via je voeten blijf je putten uit de oneindige bron van aarde-energie. Stuur de frisse, kristalheldere stroom ervan steeds verder omhoog, totdat je het gevoel hebt dat je hele wezen ervan doordrenkt is. Stel je nu voor dat deze stroom via je kruin je lichaam verlaat. Geniet van het stralende blauwe licht dat met een gevoel van verfrissende koelte door al je poriën naar buiten komt. Wek de overtuiging in jezelf tot leven dat, als jij de moed opbrengt om authentiek te zijn, de aarde je zal ondersteunen. Vertrouw erop dat de aarde altijd in je werkelijke behoeften zal voorzien.

Terwijl je de grondende aantrekkingskracht van de aarde-energie blijft voelen, ga je met je bewustzijn naar je kruin en visualiseer je opnieuw de schitterend bebladerde takken die uit je hoofd groeien en zich naar de hemel uitstrekken. Zie hoe ze steeds hoger komen en zich uitstrekken tot de zon, de andere planeten, de sterren en de oneindige melkwegstelsels van dit onbegrensde universum.

Stel je nu voor dat er een licht verschijnt vanuit de diepste kern van de kosmos, dat helderder wordt naarmate jouw takken zich er verder naar uitstrekken. Alle ruimte boven je is vervuld van een helderwit licht met een gouden glans, en jouw bladeren baden in dit warme licht.

Uit nu je diepgevoelde dankbaarheid naar het universum voor alle liefde die je in je leven ontvangt, voor de mensen van wie je houdt en die van jou houden, voor de levenslessen die je krijgt, voor je inspiratie en je inzichten, voor het feit dat je een thuis kunt zijn voor je ziel, en voor het geschenk van het leven zelf.

Opnieuw vraag ik je om je hele lichaam te verzadigen met dit gevoel van waardering. Straal liefde uit naar het universum. Vraag het universum om die liefde te accepteren en voel vervolgens hoe het liefdevol antwoordt, door jou warm en stralend wit licht te sturen, als een krachtige zonnestraal die via je bladeren en je takken door je kruin gaat, via de stam van de boom door je hele lichaam en zo helemaal naar je wortels.

Zeg tegen jezelf: 'Ik ben afgestemd op de energie van het universum en ik sta mezelf toe die te ontvangen'. Blijf bij dit gevoel. Blijf via je kruin energie uit deze oneindige bron aantrekken, totdat het warme, stralende, zijdezachte licht je hele wezen vult. Stel je voor dat dit licht uit je voetzolen straalt. Geniet van de uitstraling van dit flakkerende licht dat uit al je poriën stroomt en van de warme, behaaglijke zachtheid vanbinnen. Wek de overtuiging tot leven dat het universum altijd jouw overvloedige bron van energie zal zijn en vertrouw erop dat er altijd van je wordt gehouden.

We gaan nu je ademhaling afstemmen op de visualisaties. Adem in door je neus, alsof je aan een roos ruikt. Terwijl je dat doet, trek je de koele, blauwe aarde-energie via je voetzolen helemaal naar je kruin. Adem dan uit door je mond terwijl je het warme, stralende zijdezachte licht via je kruin naar binnen trekt en via je voetzolen naar buiten laat gaan.

Op je inademing trek je dus de energie van de aarde naar binnen en op je uitademing trek je de energie van het universum naar binnen. Doe dit een paar keer terwijl je, als je een vrouw bent, je rechterhand op je zonnevlecht legt en die bedekt met je linkerhand. Als man draai je dit om. Het zonnevlechtchakra is de plaats waar jouw unieke energetische identiteit uit de energieën van de aarde en het universum vorm krijgt. Verbind je met dit chakra terwijl deze oerenergieën door je aura stromen.

Ga nu met je bewustzijn naar je basischakra, naar de plek die ook wel perineum wordt genoemd. Stel je voor dat je hier een fonkelend robijnrood licht ontsteekt. Ga met je aandacht naar je inademing, stel je voor dat de lucht naar kaneel ruikt en dring met je ademhaling diep door in dit balletje van licht. Telkens als je dit doet, wordt het licht ervan groter en sterker. Het robijnrode licht zorgt voor een pulsatie van vibrerende energie.

Voel deze energie. Zie hoe het licht ervan opflakkert en de ruimte in en om je heen in een rode gloed zet. Je bevindt je nu in een stralend schijnsel van rood licht. Blijf aandacht geven aan je ademhaling en richt je nu op je uitademing. Adem uit alsof je een kaars uitblaast. Terwijl je dat doet stel je je voor dat deze uitademing al je gevoelens wegvoert van onzekerheid en gebrek aan zelfvertrouwen, al je destructieve gewoontes, je chaos en je kindertrauma's.

Zeg nu hardop of in gedachten: 'Ik ben veilig. Ik ben gegrond. Ik accepteer mijn lichaam. Ik zorg goed voor de materiële wereld waarin ik leef'. Haal een paar keer rustig adem terwijl je nadenkt over manieren om meer orde te scheppen in je materiële bestaan, hoe je gezonde gewoontes kunt aankweken, meer lichaamsbeweging kunt krijgen en meer vrede kunt ervaren in de omgang met je gezin, en hoe je het verleden kunt loslaten.

Ga nu met je bewustzijn naar je heiligbeenchakra, het centrum van vitaliteit en sensualiteit. Stel je voor dat je hier een fonkelend oranjegouden licht ontsteekt. Richt je op je inademing, stel je voor dat de lucht naar sinaasappelbloesem ruikt en dring met je ademhaling diep door in dit balletje van licht. Telkens als je dit doet, wordt het balletje groter en de gloed ervan helderder. Het oranjegouden licht schept een pulsatie van vibrerende energie. Voel deze energie. Zie hoe het licht opflakkert en de ruimte in en om je heen in een helder oranjegouden gloed zet. Je bevindt je in een stralend schijnsel van oranjegouden licht.

Blijf aandacht geven aan je ademhaling en richt je nu op je uitademing. Adem weer uit alsof je een kaars uitblaast. Terwijl je dat doet, stel je je voor dat je uitademing al je gevoelens wegvoert van niets waard zijn, van het goede niet verdienen, al je negatieve herinneringen aan vroegere relaties en al je beperkende overtuigingen over sensualiteit en seksualiteit.

Zeg nu hardop of in gedachten: 'Ik ben de schepper van mijn leven. Mijn zintuigen zijn open en ik geef mijzelf toestemming om vreugde te ervaren. Ik accepteer mijzelf. Ik ben genoeg'. Haal een paar keer rustig adem terwijl je nadenkt over manieren om meer schoonheid in je leven te creëren, je zintuigen te verfijnen, vaker stil te staan bij de wereld om je heen, jezelf en je dierbaren meer te verwennen, en creatievere of nieuwe manieren te vinden om dingen te doen.

Ga dan met je bewustzijn naar je zonnevlechtchakra, het centrum van persoonlijke kracht, gelegen vlak boven je maag. Stel je voor dat je hier een fonkelend goudgeel licht ontsteekt. Richt je op je inademing, stel je voor dat de lucht naar citroen ruikt en dring met je ademhaling diep door in dit balletje van licht. Telkens als je dit doet, wordt het balletje groter en het licht helderder. Het goudgele licht schept een pulsatie van vibrerende energie. Voel deze energie. Zie hoe het licht opflakkert en alle ruimte in en om je heen in een heldergele gloed zet. Je bevindt je in een stralend schijnsel van goudgeel licht.

Blijf met je aandacht bij je ademhaling en richt je nu op je uitademing. Stel je voor dat je uitademing al je gevoelens wegvoert van machteloosheid, alle beperkende overtuigingen over jezelf, je verkeerde keuzes, je perfectionisme en je neiging om het anderen naar de zin te maken.

Zeg nu hardop of in gedachten: 'Ik waardeer het dat ik uniek ben. Ik respecteer mijn ware zelf. Ik ben afgestemd op mijn ware kracht. Omdat ik authentiek ben, ben ik onoverwinnelijk en kom ik tot bloei'. Haal een paar keer rustig adem terwijl je nadenkt over je levensopdracht, de grenzen die je moet herstellen, wat je tot nu toe bereikt hebt, en wat je vindt van je keuze op het gebied van werk en je persoonlijke doelen.

Ga nu met je aandacht naar je borstkas, naar je hartchakra. Stel je voor dat je daar een fonkelend grasgroen licht ontsteekt. Richt je op je inademing, stel je voor dat de lucht naar rozen ruikt en dring met je adem diep door in dit balletje van licht. Telkens als je dit doet, wordt het balletje groter en wordt de gloed ervan helderder. Het groene licht schept een pulsatie van vibrerende energie. Voel deze energie. Zie hoe het licht opflakkert en de ruimte in en om je heen laat baden in een stralend groene gloed. Je bevindt je in een stralend schijnsel van grasgroen licht.

Blijf met je aandacht bij je ademhaling en richt je nu op je uitademing. Stel je voor dat je uitademing al je gevoelens wegvoert van geen liefde waard zijn, alles waarmee je je emoties onderdrukt, al je emotionele wonden uit het verleden die ervoor zorgen dat je je hart afsluit, je cynisme en wrokgevoelens naar je ouders en je partner.

Zeg nu hardop of in gedachten: 'Ik ben liefde. Ik laat liefde toe. Ik nodig in mijn hart meer compassie uit voor mezelf en anderen. Ik heb minder oordelen en ik ben vriendelijker. Ik geef alle pijn uit het verleden over aan de liefde'. Haal een paar keer rustig adem terwijl je nadenkt over wie je in je leven hebt gekwetst en tegenover wie je je zou moeten verontschuldigen, hoe je jezelf kunt vergeven, hoe je iets kunt bijdragen aan de gemeenschap of aan liefdadigheid kunt doen, hoe je romantischer kunt zijn en hoe je je liefde voor de mensen die je dierbaar zijn meer tot uitdrukking kunt brengen.

Ga nu met je aandacht naar je keelchakra, het centrum van oprechte communicatie. Stel je voor dat je hier een kleine fonkeling van turquoise licht ontsteekt. Richt je op je inademing, stel je voor dat de lucht naar munt ruikt en dring met je ademhaling diep door in dit balletje van licht. Telkens als je dit doet, wordt het balletje groter en de gloed ervan helderder. Het turquoise licht schept een pulsatie van vibrerende energie. Voel deze energie. Zie hoe het licht opflakkert en alle ruimte in en om je heen in een stralende turquoise gloed zet. Je bevindt je nu in een stralend schijnsel van turquoise licht.

Blijf met je aandacht bij je ademhaling en richt je nu op de uitademing. Stel je voor dat je uitademing al je angst wegvoert om je eigen waarheid naar voren te brengen, alles wat je verhindert om op een authentieke manier met de wereld te communiceren, alle keren dat je 'ja' zei, terwijl je 'nee' bedoelde, al je verlegenheid, al je schuldgevoelens en je neiging om te roddelen.

Zeg nu hardop of in gedachten: 'Ik kies ervoor om voor mijn waarheid uit te komen. Ik bevrijd mezelf van verstikkende schuldgevoelens. Mijn woorden trekken als magneten echte en zuivere energie aan in mijn leven. Ik accepteer mijn authentieke stem en laat toe dat anderen met mij van mening verschillen'. Haal een paar keer rustig adem terwijl je nadenkt over hoe je op negativiteit kunt reageren door te zwijgen, hoe je kunt blijven ademhalen terwijl je naar anderen luistert, hoe je je kunt uitspreken, hoe je je meer kunt verbinden met je stem door te zingen of te chanten, en hoe je mensen kunt mijden die je een schuldgevoel bezorgen of jou hun mening opdringen.

Ga nu met je aandacht naar je derde oog, het centrum van intuïtie en innerlijk zien. Stel je voor dat je daar een kleine fonkeling van indigoblauw licht ontsteekt. Richt je op je ademhaling en stel je voor dat de lucht naar lavendel ruikt. Dring met je ademhaling diep door in dit balletje van licht. Telkens als je dit doet, wordt het balletje groter en wordt de gloed ervan helderder. Het indigoblauwe licht creëert een pulsatie van vibrerende energie. Voel deze energie. Zie hoe het licht opflakkert en alle ruimte in en om je heen in een indigoblauwe gloed zet, alsof de uitgestrekte ruimte van de nachtelijke hemel zich voor je heeft geopend. Je bevindt je nu in een stralend schijnsel van indigoblauw licht.

Blijf met je aandacht bij je ademhaling en richt je op de uitademing. Stel je voor dat je uitademing al je negatieve zelfbeelden wegvoert, al je angst om geen oplossing te vinden voor de problemen van het leven, alles wat je verbeeldingsvermogen hindert of een heldere waarneming in de weg staat, en alles wat je intuïtie het zwijgen oplegt.

Zeg nu hardop of in gedachten: 'Ik ben in staat het grote geheel te zien en nieuwe invalshoeken te vinden. Ik respecteer mijn intuïtie als mijn leraar. Ik ben afgestemd op een onbegrensde bron van leiding. Mijn verbeelding is de deur naar oneindige mogelijkheden en leidt mij naar authentieke keuzes'. Haal een paar keer rustig adem terwijl je nadenkt over de tegenvallers in je leven die uiteindelijk geschenken bleken, over wie of wat je doet twijfelen aan je intuïtie, over hoe je een moodboard kunt maken voor het leven dat je graag zou willen, in overeenstemming met jouw waarheid.

Richt je aandacht ten slotte op het gebied vlak boven je hoofd, dat je kruin omgeeft als een halo: het kruinchakra. Dit is het centrum van je bewustzijn en je spiritualiteit. Stel je voor dat je daar een kleine fonkeling van violet licht ontsteekt. Richt je op je inademing, stel je voor dat de lucht naar wierook ruikt en laat je ademhaling heel diep doordringen in dit balletje van licht. Telkens als je dit doet, wordt het balletje groter en de gloed ervan helderder. Het violette licht creëert een pulsatie van vibrerende energie. Voel die energie. Zie hoe het licht opflakkert en zich als een grote lotusbloem met duizend bloemblaadjes ontvouwt. Deze bloemblaadjes zetten alle ruimte in en om je heen in een violette gloed. Je bevindt je nu in een stralend schijnsel van violet licht.

Blijf met je aandacht bij je ademhaling en richt je nu op de uitademing. Stel je voor dat je uitademing alles wegvoert wat jouw geloof ondermijnt, alles wat je doet twijfelen aan de spirituele kant van het leven, iedereen die jou en je ego hersenspoelt, en jouw verbinding met je hogere zelf wil verbreken.

Zeg nu hardop of in gedachten: 'Ik ben die ik ben en daar ben ik trots op. Ik vind gelukzaligheid in mijn unieke expressie en in mijn liefdevolle en betrouwbare verbinding met het universum'. Haal een paar keer rustig adem terwijl je nadenkt over hoe je de wereld beter kunt maken, over wat je de wereld wilt nalaten, over hoe je meer tijd kunt vrijmaken om je bewustzijn te ontwikkelen en om te mediteren, en over hoe je het universum dankbaar kunt zijn voor zelfs de kleinste dingen.

Als je zover bent, breng je je aandacht terug in de kamer waar je je bevindt, in het besef dat je verbonden bent met de grondende energie van de aarde, en geleid wordt door het universum. Haal een keer diep adem en rek je eens goed uit. Ga langzaam rechtop staan, met je benen iets uit elkaar en je rug recht, in een krachtige houding, bijna als een soldaat die in de houding staat.

Net als aan het begin van deze meditatie leg je je hand weer op je zonnevlecht, met je andere hand eroverheen. Zeg in je moedertaal en hardop, als het kan terwijl je naar jezelf in de spiegel kijkt: 'Mijn energetische identiteit is geactiveerd. Ik trek alleen aan wat met mijzelf overeenkomt. Ik heb zeggenschap over mijn energie en neem de verantwoordelijkheid daarvoor op mij'.

Noten

Proloog: Een blik in het verleden – verborgen risico's voor onze gezondheid

1. Geltner, G., 2012. Public Health and the Pre-Modern City: A Research Agenda. *History Compass*, 10(3), 231-245.
2. Ibid. p. 509-510.
3. Ibid. p. 510.
4. Morgan, M., 2001. *National Identities and Travel in Victorian Britain.* Palgrave Macmillan UK.

Hoofdstuk 3: Gelijkgestemden

1. Young, L.J. en Wang, Z., 2004. The neurobiology of pair bonding. *Nature Neuroscience*, 7 (10, 1048-1054).
2. Johnson, Z.V. en Young, L.J., 2015. Neurobiological mechanisms of social attachment and pair bonding. *Current Opinion in Behavioral Sciences*, 3, 38-44.
3. Leong, V., Byrne, E., Clackson, K., Georgieva, S., Lam, S. en Wass, S., 2017. Speaker gaze increases information coupling between infant and adult brains. Beschikbaar op www.biorxiv.org/content/biorxiv/early/2017/09/16/108878.full.pdf. [gezien 11 april 2019].
4. Feldman, R., Magori-Cohen, R., Galili, G., Singer, M. en Louzoun, Y., 2011. Mother and infant coordinate heart rhythms through episodes of interaction synchrony. *Infant Behavior and Development*, 34(4), 569-577.
5. Bowlby, J., 1969. *Attachment and Loss 1: Attachment*. New York: Basic Books.
6. Brown, M.R., 1982. Corticotropin-releasing factor: actions on the sympathetic nervous system and metabolism. *Endocrinology*, 111, 928-931.

7. Schore, A.N., 1994. *Affect Regulation and the Origin of the Self: The Neurobiology of Emotional Development.* Mahwah, NJ: Lawrence Eribaum.
8. Schore, A.N., 2001. The effects of early relational trauma on right-brain development, affect regulation and infant mental health. *Infant Mental Health Journal* 22, 1-2, 201-269.
9. Bowlby, J., 1973. *Attachment and Loss 2: Separation: Anxiety and Anger.* New York: Basic Books.
10. Marvin, R.S., 1977. An ethological-cognitive model for the attenuation of mother-child attachment behavior. In: T.M. Alloway et al (red.), *Advances in the Study of Communication and Affect 3: Attachment Behavior.* New York: Plenum Press, 25-60.
11. Hamzei, F., Vry, M.S., Saur, D., Glauche, V., Hoeren, M., Mader, I. en Rijntjes, M., 2015. The dual-loop model and the human mirror neuron system: an exploratory combined fMRI and DTI study of the inferior frontal gyrus. *Cerebral Cortex, 26(5).* Beschikbaar op: https://academic.oup.com/cercor/article/26/5/2215/1754273. [gezien 10 april 2019].
12. Hobson, H.M. and Bishop, D.V., 2016. Mu suppression – a good measure of the human mirror neuron system? Cortex, 82. Beschikbaar op: https://core.ac.uk/download/pdf/82008503.pdf [gezien 11 april 2019].
13. Isbilir, E., Cakir, M., Cummins, F. en Ayaz, H., 2016. Investigating brain – brain interactions of a dyad using fNIR hyperscanning during joint sentence reading task. In: 3rd International Symposium on Brain Cognitive Science.
14. Verdiere, K.J, Roy, R.N. en Dehais, F., 2018. Detecting pilot's engagement using fNIRS connectivity features in an automated vs. manual landing scenario. *Frontiers in Human Neuroscience,* 12(6).
15. Hirsch, J., Zhang, X., Noah, J.A. en Ono, Y., 2017. Frontal temporal and parietal systems synchronize within and across brains during live eye-to-eye contact. *Neuroimage,* 157, 314-330.
16. Kodama, K., Tanaka, S., Shimizu, D., Hori, K. en Matsui, H., 2018. Heart rate synchrony in psychological counselling: a case study. *Psychology,* 9(07), 1858.

17. Mitkidis, P., McGraw, J.J., Roepstorff, A. en Wallot, S., 2015. Building trust: heart rate synchrony and arousal during joint action increased by public goods game. *Physiology & Behavior, 149*, 101-106.
18. Ferrer, E. en Helm, J.L., 2012. Dynamical systems modelling of physiological coregulation in dyadic interactions. Int. J. *Psychophysiol, 88(3).*
19. Helm, J.L., Sbarra, D. en Ferrer, E., 2012. Assessing cross-partner associations in physiological responses via coupled oscillator models. *Emotion*, 12(4), 748-762.
20. Kang, O. en Wheatley, T., 2017. Pupil dilation patterns spontaneously synchronize across individuals during shared attention. *Journal of Experimental Psychology: General*, 146(4), 569.
21. Garcia, A.M. en Ibáñez, A., 2014. Two-person neuroscience and naturalistic social communication: the role of language and linguistic variables in brain-coupling research. *Frontiers in Psychiatry, 5,* 214.
22. McGettigan, C. en Tremblay, P., 2018. Links between perception and production: examining the roles of motor and premotor cortices in understanding speech. In: S. Rueschemeyer and M. Gaskell (Eds.), *The Oxford Handbook of Psycholinguistics*, 306-334. Oxford, UK: Oxford University Press.
23. Wilson, S.M., Saygin, A.P., Sereno, M.I. en Iacoboni, M., 2004. Listening to speech activates motor areas involved in speech production. *Nature Neuroscience*, 7, 701-702.
24. Coupland, N., 2010. Accommodation theory. *Society and Language Use*, 7, 21-43.
25. Gijssels, T., Casasanto, L.S., Jasmin, K., Hagoort, P. en Casasanto, D., 2016. Speech accommodation without priming: the case of pitch. *Discourse Processes*, 53(4), 233-251.
26. Pedersen, S.B., 2015. *The cognitive ecology of human errors in emergency medicine: an interactivity-based approach.* PhD. University of Southern Denmark, Odense, DK.
27. Engert, V., Ragsdale, A.M. en Singer, T., 2018. Cortisol stress resonance in the laboratory is associated with inter-couple diurnal cortisol covariation in daily life. *Hormones and Behavior*, 98, 183-190.

28. Handlin, L., Hydring-Sandberg, E., Nilsson, A., Ejdebäck, M., Jansson, A. en Uvnäs-Moberg, K., 2015. Short-term interaction between dogs and their owners: effects on oxytocin, cortisol, insulin and heart rate – an exploratory study. *Anthrozoös*, 24(3), 301-315. DOI: 10.2752/175303711X13045914865385
29. Buttner, A.P., Thompson, B., Strasser, R. en Santo, J., 2015. Evidence for a synchronization of hormonal states between humans and dogs during competition. *Physiology & Behavior, 147*, 54-62.
30. Cunningham, K., 2017. *Hormonal synchronization between therapy dogs and handlers*. Paper gepresenteerd op de 9e Annual Student Research and Creative Productivity Fair, Omaha, NE.
31. Miller, S.C., Kennedy, C.C., DeVoe, D.C., Hickey, M., Nelson, T. en Kogan, L., 2015. An examination of changes in oxytocin levels in men and women before and after interaction with a bonded dog. *Anthrozoös*, 22(1), 31-42. DO1: 10.2752/175303708X390455
32. Handlin, L., Nilsson, A., Ejdebäck, M., Hydbring-Sandberg, E. en Uvnäs-Moberg, K., 2015. Associations between the psychological characteristics of the human-dog relationship and oxytocin and cortisol levels. *Anthrozoös*, 25(2), 215-228. DOI: 10.2752/175303712X13316289505468
33. McCraty et al., 2015. The Energetic Heart: Biolectromagnetic Interactions Within and Between People. Beschikbaar op: www.researchgate.net/publication/274451622_The_Energetic_Heart_Biolectromagnetic_Interactions_Within_and_Between_People. [gezien 28 mei 2019].

Hoofdstuk 8: De digitale laag van de aura

1. Ghosn, R., Yahia-Cherif, L., Hugueville, L., Ducorps, A., Lemaréchal, J.D., Thuróczy, G., de Seze, R., en Selmaoui, B., 2015. Radiofrequency signals affect alpha band in resting electroencephalogram. *Journal of Neuropathy*, 113(7).
2. Roggeveen, S., van Os, J., Viechtbauer, W., en Lousberg, R., 2015. EEG changes due to experimentally induced 3G mobile phone radiation. *PLoS ONE*, 10(6), e0129496. Beschikbaar op: www.ncbi.nlm.nih.gov/pmc/articles/PMC4459698/. [gezien 11 april 2019].

3. Lv, B., Chen, Z., Wu, T., Shao, Q., Yan, D., Ma, L., en Xie, Y., 2014. The alteration of spontaneous low-frequency oscillations caused by acute electromagnetic fields exposure. *Clinical Neurophysiology*, 125(2), 277-286.
4. Hung, C.S., Anderson, C., Horne, J.A. en McEvoy, P., 2007. Mobile phone 'talk-mode' signal delays EEG-determined sleep onset. *Neuroscience Letters*, 421(1), 82-86.
5. Burgess, A.P., Fouquet, N.C., Seri, S., Hawken, M.B., Heard. A., Neasham, D. en Elliott, P., 2016. Acute exposure to Terrestrial Trunked Radio (TETRA) has effects on the electroencephalogram and electrocardiogram, consistent with vagal nerve stimulation. *Environmental Research*, 150, 461-469.
6. Huss, A., van Eijsden, M., Guxens, M., Beekhuizen, J., van Strien, R., Kromhout, H., Vrijkotte, T. en Vermeulen, R., 2015. Environmental radio frequency electromagnetic fields exposure at home, mobile and cordless phone use, and sleep problems in 7-year-old children. *PLoS ONE*, 10(10), e0139869.
7. Danker-Hopfe, H., Dorn, H., Bolz, T., Peter, A., Hansen, M.L., Eggert, T. en Sauter, C., 2016. Effects of mobile phone exposure (GSM 900 and WCDMA/UMTS) on polysomnography based sleep quality: an intra- and inter-individual perspective. *Environmental Research*, 145, 50-60.
8. Mohammed, H.S., Fahmy, H.M., Radwan, N.M. en Elsayed, A.A., 2013. Non-thermal continuous and modulated electromagnetic radiation fields effects on sleep EEG of rats. *Journal of Advanced Research*, 4(2), 181-187.
9. Lustenberger, C., Murbach, M., Dürr, R., Schmid, M.R., Kuster, N., Achermann, P. en Huber, R., 2013. Stimulation of the brain with radio frequency electromagnetic pulses affects sleep-dependent performance improvement. *Brain Stimulation*, 6(5), 805-811.
10. Christensen, M.A., Bettencourt, L., Kaye, L., Moturu, S.T., Nguyen, K.T., Olgin, J.E., Pletcher, M.J., en Marcus, G.M., 2016. Direct measurements of smartphone screen-time: relationships with demographics and sleep. *PLoS ONE*, 11(11): e0165331. Beschikbaar op: https://

journals.plos.org/plosone/article?id=10.1371/journal.pone.0165331. [gezien 10 april 2019].
11. Chak, K. en Leung, L., 2004. Internet addiction and internet use. *CyberPsychology & Behavior*, 7(5).
12. Bian, M., en Leung, L., 2014. Linking loneliness, shyness, smartphone addiction symptoms, and patterns of smartphone use to social capital. *Social Science Computer Review*.
13. Smetaniuk, P., 2014. A preliminary investigation into the prevalence and prediction of problematic cell phone use. *Journal of Behavioral Addictions*, 3(1), 41-53.
14. Kwon, M., Lee, J-Y., Won, W-Y., Park, J-W., Min, J-A., Hahn, C., et al, 2013. Development and validation of a smartphone addiction scale (SAS). *PLoS One*, 8(2), e56936. Beschikbaar op: https://journals.plos.org/plosone/article?id=10.1371/journal.pone.0056936. [gezien 11 april 2019].

Hoofdstuk 9: Digitaal leven of digitale slavernij

1. Kramer, R.S.S., Weger, U.W. en Sharma, D., 2013. The effect of mindfulness meditation on time perception. *Consciousness and Cognition*, 22(3), 846-852.
2. Ward, A.F., Duke, K., Gneezy, A. en Bos, M.W., 2017. Brain drain: the mere presence of one's own smartphone reduces available cognitive capacity. *Journal of the Association for Consumer Research*, 2(2).

Over de auteur

Alla Svirinskaya is een medisch geschoolde, vijfde generatie energyhealer die in het geheim door haar moeder werd opgeleid in Sovjet Rusland. Tegenwoordig is zij een van de bekendste experts op het gebied van holistische gezondheid en heeft zij een van 's werelds beste praktijken op het gebied van energyhealing. Ze werkt voor toonaangevende kuuroorden over de hele wereld, waaronder Chiva-Som in Thailand. Alla's boeken zijn internationale bestsellers, vertaald in zestien talen. Alla staat bekend om haar systematische, no-nonsense benadering en mag talloze beroemdheden en leden van koninklijke families tot haar clientèle rekenen.

AnkhHermes
www.ankh-hermes.nl

Aura-energie